<복잡계 경영 Complexity Management>

목 차

[1장. 작은 것이 거대한 것을 뒤흔드는 세상]
1. 죽을 확률이 높은 직선으로 날아가는 파리 5
2. 닮은 꼴 작은 모임들이 퍼 나르는 가치 8
3. 불확실성과 복잡성 자체를 포용하는 것 10
4. 바닥 자체가 흔들리고 있다! 12
5. 변화 저항 에너지를 변화 기폭제로 전환 14
6. 리더들 앞에 놓인 어지럽혀진 거대한 책상 17
7. 복잡성을 충족한다는 것 20

[2장. 요동치면 비로서 보이는 것들]
1. 한계를 느낄 때가 절호의 기회 25
2. 불안정성 에너지를 활용한 관행 타파 27
3. 신선한 긴장 분위기로 창의적 생각과 행동 지원 30

[3장. 경영진과 리더들의 딜레마]
1. 보수와 혁신 사이의 딜레마 35
2. 전공과 교양 사이의 딜레마 36
3. 전략과 실행 사이의 딜레마 38
4. 결과와 사람 사이의 딜레마 40
5. 꼰대와 낀대 사이의 딜레마 42

[4장. 경영진과 리더들의 딜레마 극복]
1. 가까이 보면 비극이지만 멀리 보면 희극, 메타 인지 45
2. 복잡성 속의 지혜를 찾는 맥락 지능 48
3. 가장 그럴 듯 함을 추구하는 의미 부여 51
4. 관성을 탈피하고 외부와의 연결 짓는 동적 역량 53
5. 구성원이 리더가 되는 참여적 의사결정 56
6. 정형화된 틀에서 탈출시켜 주는 집단 지성 58

[5장. 복잡계 경영 이론 Theory]
1. 푸른 바다 속 물고기떼 61
2. 혼란스러움 속에 질서가 있는 것 66
3. 느슨한 관계의 강점 67

[6장. 복잡계 경영 흐름 Process]
1. 복잡한 세상과 복잡계 경영 74
2. 복잡성에 정면으로 적응해가는 복잡적응시스템 77
3. 창의와 혁신이 득실거리는 혼돈의 가장자리 80
4. 작은 시도와 변화가 엄청난 결과를 만드는 非선형성 82
5. 정보와 지식이 넘실거리는 피드백 고리 88
6. 변화 속 일관성을 찾는 과정 프랙탈 92
7. 변화와 혁신의 여정 자기조직화 97
8. 새로운 질서의 종착역 창발 100
9. 세상과 함께 진화하는 공진화 103

[7장. 복잡계 리더십 발휘 Proposal]

1. 조직에 적합한 학습과 변화를 만드는 리더 106
2. 복잡계 리더십 complexity leadership 108
 1) 관리적 리더십 administrative leadership
 2) 적응적 리더십 adaptive leadership
 3) 활성적 리더십 enabling leadership
3. 다이나믹한 안전성을 추구하는 리더 113
4. 항법장치 없이 수천 킬로를 날아가는 철새 117

[8장. 복잡계 경영 실천 Practice]

1. 복잡계 경영을 위한 종합적 제안 121
2. 점진적 & 획기적 혁신, 양손잡이 경영과 리더 124
3. 적응에 필요한 긴장감, 경쟁적 협력 133
4. 자율, 유능, 관계 욕구, 내재적 동기부여 137
5. 지식 창출, 공유 및 적용, 협업적 학습 140
6. 결과보다는 과정, 공정성 143
7. 스피드와 유연함, 민첩성 146

[9장. 세상은 그야말로 복잡계]

1. 붉은 악마와 복잡계 149
2. 밈과 복잡계 150
3. 재난 극복과 복잡계 153
4. 애자일 경영과 복잡계 154

5. 조직 설계와 복잡계 157
6. 조직 학습과 복잡계 159
7. 거버넌스와 복잡계 164
8. 갈등 극복과 복잡계 166
9. 교사와 복잡계 168
10. 인공지능과 복잡계 169
11. 개미와 복잡계 170
12. 철학과 복잡계 172

[10장. 복잡계 주요 개념 Index]
No. 1번~57번 개념과 설명 175

<국내 문헌> 192

<해외 문헌> 194

<참고 도서> 201

< 복잡계 경영 >

복잡계를 이해하고 적용하여 조직 속 숨겨진 질서를 찾다!

[1장. 작은 것이 거대한 것을 뒤흔드는 세상]

1. 죽을 확률이 높은 직선으로 날아가는 파리

모닥불 위에서 춤추는 연기의 움직임, 매순간 다른 양과 다른 모양으로 떨어지는 폭포수의 움직임, 알 수 없는 방향으로 여기저기 훑고 다니는 광활한 사막 모래의 움직임. 이들이 보이는 공통점은 무엇일까? 발생하고 있는 문제 자체의 이해가 어렵다는 것이다. 사막 위의 모래는 일시적인 바람에 반응하여 여기저기에 쌓임으로써 풍경을 변화시키고 또 다시 새로운 바람을 맞는 역경을 겪게 된다.

모든 조직과 시스템을 구성하고 있는 요인들의 사전 속에는 '멈춤'이란 없다. 멈춘다는 것은 도태로 연결되는 것이기 때문에, 조직의 생존에는 변화무쌍과 예측불허가 특효인 셈이다. 소용돌이 상황에서 지속한다는 것은 현재 상태를 유지한다는 뜻이 아니라 끊임없이 움직이고 활동하는 것을 말한다. 지속적이고 가속적으로 변화하는 환경에 대응하고 적응할 수 있도록 조직은 민첩성과 부단한 활동성을 견지하는 것이 핵심이다.
직선으로 날아다니는 파리는 희생양이 되기 쉽고, 인간의 맥박은 사망하기 바로 직전에 아주 안정적인 모습을 보인다. 그렇다. 불균형은 오히려 조직 및 시스템 생존 필수 아이템인 것이다.

조직 경영은 생존을 너머 성장을 추구하는 과정이어야 하는데, 그러기 위해서는 열려있어야 한다. 이러한 개방성은 외부로부터 신선한 에너지를 흡입하여 보다 건강하고 성숙한 시스템을 만들 수 있다. 열려 있다는 것은 더욱 건강한 구조로 전환될 수 있는 여유와 역량을 갖추고 있는 것을 의미한다. 이는 최근 중요하게 언급되고 있는 역동성 dynamics과 연결이 되는데, 조직과 시스템 자체의 지속 성장을 위해 불필요한 에너지는 배출하여 버리고 필요한 에너지는 흡수하여 채움으로써 더욱 진화된 모습을 갖추는 것과 같다.
최근 불확실성과 복잡성이 증가되고 있는 조직 내 구성원 역량개발 관점에서 대두되고 있는 것이 're-skilling & up-skilling'이다. 지난 2020년 2월 세계경제포럼에서는 '30년까지 10억명 이상의 사람들에게 re-skilling(재교육)이 필요하다는 이슈를 던졌다. 이 이슈는 교육 시스템 변화와 전략이라는 거시적 관점에서도 접근이 가능하지만, 다음의 중요한 전제 조건 두 가지를 통해 돌파구를 찾아볼 수 있다.

첫째는 긍정적 인간관이다. 우리 모두는 스스로 최선을 다하고 있으며, 변화와 혁신을 만들 수 있는 잠재력을 가지고 있다는 생각이 자리잡고 있어야 한다. 둘째는 사명-비전-가치와 같은 목적성이 지속적으로 공유되고 있어야 한다.
우리가 이미 잘 알고 있는 역량은 기본 생존과 관련된 것으로 기술역량, 마케팅, 관리 역량 등을 포함하는데 이를 보통 정적 역량이라고 한다. 반대 의미로, 동적 역량은 급격하게 바뀌는 변화를 파악하고 적합하게 적용하고 재구성하는 성장 역량을 의미한다. 동적 역량은 기능적 역할보다 주변과 진화하면서 적합성을 높이는데 큰 가치를 가진다. 개인 차원에서 동적 역량은 환경 변화에 자신이 어떻게 적합한 변화를 추구해 나갈 수 있는지에 대한 본원적 역량에 가깝다. 장기적인 관점에서 개인의 re-skilling과 up-skilling에 대한 투자가 절실한 이유이다. 이는 궁극적으로 life-skilling 즉 자신 삶의 질과 행복에 연결된다. 자신은 오늘도 조금씩 나아지고 있다는 긍정주의인 동시에, N극을 향해 끊임없이 떨리고 있는 나침반 속 바늘과 같은 목적주의와 가깝다.

<같이 생각해 보면 좋을 질문들>

1. 조직과 시스템이 성장하기 위해 왜 불균형과 변화가 필요한가?
2. 동적 역량이 왜 개인과 조직에 중요한가?
3. 긍정적 인간관과 사명-비전-가치의 역할은 무엇이며, 조직 변화와 성장에 어떻게 기여할 수 있나?
4. 내 삶의 질과 행복을 위한 re-skilling & up-skilling 방법은 무엇일까?

2. 닮은 꼴 작은 모임들이 퍼 나르는 가치

글로벌화라는 현상이 없었더라면 전염병이 대륙과 대륙을 넘어서 전파될 수 있었을까? 도시화가 없었더라면 서울 수도권 4단계 거리두기라는 초강수 조치가 필요 했을까? 모든 사회적 자원을 돈의 논리로 가격을 매기는 금융화가 없었더라면 돈의 논리로 교육과 의료 등 공공 부분이 재조정 되면서 지금처럼 의료와 복지 시스템이 취약해 졌을까? 위와 같은 글로벌화, 도시화, 금융화가 없었더라면 바이러스라는 눈에도 보이지 않는 작은 미물들이 세상을 뒤 흔들 수 있었을까?

기존 전 세계를 지탱해온 단단하고 견고한 교각들이 조금씩 무너지고 있는 셈이다. 예전 같은 글로벌화, 예전 같은 도시화는 불가능하다. 또한 금융의 메커니즘이 바뀌고 있기 때문에 지도는 하나씩 가지고 있으나 지도에는 표기되어 있지 않은 미지의 영역을 밟아 나갈 수 밖에 없다.

최근 특히 경제적 불평등과 불균형이 심해지면서 '그때 집을, 주식을, 비트코인을 샀더라면' 이라고 자신을 한탄하며 누군가는 벼락 부자가 되었다고 하고 또 누군가는 벼락 거지가 되었다고 한다. 이렇게 경제적 불평등과 불균형은 심화되었지만 투자 시장에 대한 접근성은 매우 높아졌다. 다양한 플랫폼을 통해 누구나 경제 지식과 정보에 접근할 수 있으며 다양한 금융 서비스들이 등장하면서 투자 시장과 금융 시장에 개인 및 일반 투자자들도 쉽게 진입할 수 있게 되었다. 나아가 주식을 단순히 구입하는 것을 초월하여 소액으로도 비상장 기업의 조합원을 구성하여 지분을 구매하는 플랫폼도 등장하였다. 또한 암호화폐 시장에서는 개인들에게 자산 관리에 대한 권한이 더 많이 주어지면서 누구나 자신만의 투자 포트폴리오를 구성할 수 있게 되었다. 즉 전통 금융권만이 소유했던 권한과 기회가 일반 투자자들에 자연스럽게 넘어간 셈이다.

경영진과 리더의 입장에서 관심을 가지고 지켜볼 것이 커뮤니티의 형성이다. 사람들이 상호간의 정보와 경험을 교환하면서 강력한 힘을 형성하고 있다. 같은 관심사를 가진 사람들은 고유한 밈 meme문화를 만들기 시작했다. 또 다시 다른 사람들과 공유하면서 더 많은 사람들이 커뮤니티에 유입된다. 이러한 과정을 통해 새로운 트랜드와 돈으로는 계산하기 어려운 부가가치가 형성되고 있는 것이다. 명품 브랜드에는 일반 상품으로는 충족할 수 없는 대체 불가능한 어떤 가치가 존재하고 있다. 이와 같이 조직 로열티와 브랜드 가치를 제고시켜야 하는 경영진 입장에서는 조직 내 커뮤니티 형성 메커니즘을 제대로 이해하고 적용할 필요가 있는 것이다.

최근 한 중고 거래 플랫폼에 대한 가치가 대기업 전통 유통 기업의 가치보다 높게 평가받고 있다. 이 플랫폼의 강점은 지역 커뮤니티에 있다. 지역 커뮤니티를 통해 단순히 중고를 거래할 뿐만 아니라 살아있는 정보와 경험들이 실시간으로 공유되고 있기 때문에 그 가치를 인정받고 있다. 이렇게 상향식 bottom up을 기반으로 자기 유사성 self-similarity을 지닌 작은 모임 및 집단들이 확대 재생산되는 방식의 가치 창출이 다양한 시도와 실험을 통해 변화하고 진화하고 있다. 자유롭게 정보를 주고 받으며 외부와 교류하면서 형성되는 작은 커뮤니티 하나가 사회 전반을 흔들 수 있는 시대가 도래한 것이다.

<같이 생각해 보면 좋을 질문들>

1. 전염병과 같은 위협을 대응하기 위해서는 어떤 사회적 구조와 시스템이 필요할까?
2. 커뮤니티와 공유 경제가 부상하고 있는 만큼, 우리 조직은 어떻게 커뮤니티와 상호 작용하여 가치를 창출할 수 있을까?
3. 많은 커뮤니티들이 나에게는 어떤 변화와 영향을 주고 있을까?

3. 불확실성과 복잡성 자체를 포용하는 것

'하는 일에 대한 만족도가 높으면 높을수록 직무 성과도 클 것이다.' 라는 명제가 있다. 인과 관계로만 보면 하는 일에 대한 만족도가 높기 때문에 성과 역시 커지는 결과를 초래한다고 해석할 수 있다. 하지만 이를 순환적 관점에서 보면 성과가 크기 때문에 하는 일에 대한 만족도가 더 높을 수도 있다.

과거 200년간 자연과사회과학의 지배적인 사고방식이던 뉴턴의 기계론적 세계관에서는 선형성에 기초하기 때문에 초기 조건이 결과값에 큰 영향을 주지는 못한다고 생각했다. 하지만 복잡계적 관점에서는 초기 조건이 매우 중요한 역할을 한다고 생각한다. 초기 조건의 민감성으로 인해 처음 출발점의 작은 차이와 변화가 엄청나게 증폭되면서 그 결과값에 예측할 수 없는 큰 영향을 미친다는 것이다.

위의 명제를 다시 살펴보면, 조직 변화가 적고 비교적 안정적인 상태라면 일반적으로 구성원들이 하는 일의 만족도가 직무 성과에 일정한 비율로 영향을 미친다. 하지만 실제로는 불안정적이고 불균형적 상태일 가능성이 매우 높다. 예상치 못한 작고 사소한 문제로 직무 성과는 떨어질 수 있을 뿐만 아니라 생산성 저하라는 후폭풍을 만들 수도 있는 것이다.

경영 환경을 두고도 위와 유사한 관점이 존재한다. 먼저, 생산자 중심의 시대에 적합한 관점이다. 조직은 외부 환경에 수동적으로 반응한다는 것으로 언제든지 환경을 통제할 수 있다고 보는 관점이다. 경영 환경에 큰 변화가 없고 안정적이기 때문에 마음만 먹으면 환경 자체를 마음껏 분석하고 쪼개어볼 수 있다. 또한 나누고 또 나누고 보니 부정적 결과도 초래한다. 나눌수록 상대적 비교에 매몰될 수 밖에 없어서 경쟁을 부추기게 되어, 결국 어느 한 쪽은 고립될 수 밖에 없는 상황이 발생한다.

반대로, 고객 중심 시대에서는 환경을 분석 대상으로 보기 보다는, 다양하게 연결되어 있는 요인들의 역동성을 주목한다. 변화 과정에서 만나게 되는 갈등 상황들을 자연스럽게 받아 들어야 한다는 관점이 있다. 이와 같이 경영 환경을 분석 가능한 대상으로 보는 관점에서는 변화 자체를 위기와 불안 요소로만 인식하기 쉽지만, 경영 환경 자체를 통합적으로 바라보려는 관점에서는 불확실성과 복잡성을 있는 그대로 포용하려 한다. 이러한 자세를 갖추고 있기 때문에 변화 자체를 가능성과 동기 요소로 인식하는 것이다.

본 도서는 시장 상황과 경쟁 상황을 면밀히 분석하여 조직이 직면하게 될 위기와 위험을 찾아내려는 구조적 전략 접근 방식보다는, 조직 내 경영진과 리더들 스스로 혁신의 기회로 삼는 전략적 선택에 무게 중심을 둔다. 사람을 중심에 놓고 경영 문제들을 살피고 해결해 보고자 한다. 이에 가장 최적의 방법인 복잡계를 구성하고 있는 개념들을 기반으로 실천적 지혜를 공유하고자 한다.

<같이 생각해 보면 좋을 질문들>

1. 초기값과 결과값에 대한 예측은 어떻게 연결되어 있는가?
2. 경영 환경의 2가지 관점, 생산자 중심과 고객 중심 관점은 어떤 차이가 있는가?
3. 사람 중심의 접근 방식을 적용하면 어떤 이점을 얻을 수 있을까?
4. 복잡계적 관점과 개념을 활용하면 어떤 실천적 지혜를 얻을 수 있을까?

4. 바닥 자체가 흔들리고 있다!

지금까지 세상을 이해했던 방식과 프레임이 어느 날 예상치 못한 큰 충격을 받게 되면 어떻게 될까?
보통 기존의 것들이 여기저기 흐트러져 완전히 새롭게 재배열되거나 수축되거나 뒤틀리게 된다. 즉 기존 질서가 무너지게 된다. 그동안 딱 버티고 있었던 견고한 지반 fundamental 강도가 급속히 약해지면서 순간적으로 액체처럼 흐물흐물해 지거나, 이쪽에서 저쪽으로 순간 이동하게 된다. 이 현상이 액상화이다. 액상화가 계속 진행되는 동안 내부는 계속 압력을 받아 결국 못 버티고 바깥으로 내 뿜는다. 이때 땅 속에 빈 공간이 생기거나 지반이 내려앉게 된다.

이 액상화 현상은 지금 우리 상황과 많이 닮아있다.
우리가 믿고 있었던 기존 질서들이 어느새 조금씩 무너지고 있다. 우리의 삶에도 많은 영향을 주었다. 우리도 모르는 사이 새로운 삶의 방식과 양식을 요구 받게 되고, 변화를 강요 받고있다는 생각이 든다. 이 때문에, 정서적 혼란스러움과 불안함이 머리 속을 떠나지 못한다. 어제보다 괜찮은 오늘을 오늘보다 훌륭한 내일을 기대하는 것이 버겁다는 생각이 든다. 우리 삶에도 액상화가 시작된 것이고, 우리는 이것을 멘탈 붕괴라고 부른다.

조직도 마찬가지다. 경영자들은 견고하게 조직을 경영하고 싶으나 구성원들은 날로 까칠해 지고 무기력해 지고 있는 것 같아 오히려 구성원들의 눈치를 살피게 되는 요즘이다. 설상가상으로 조직을 둘러싼 경영 환경 역시 득보다는 실이 커 보인다.
경영자들은 마음이 더욱 조급해진다. 따라서 과거 성공 방식에 의존하게 되고, 새로운 생각과 시도 및 도전 같은 건 우선순위에서 뒤처지게 된다. 이러한 악순환은 구성원 마음 속에서 조직을 멀어지게 만드는 동시에 고객의 선택에서도 역시 멀어지게 만드는 것이다.

흔들리는 바닥 속 질서를 살필 줄 알고 파악할 줄 알아야 현명한 경영진이다. 복잡한 세상 속 커다란 질서를 이해하고 새로운 생각을 만들어 최선의 행동을 발휘하는 것은 경영자 자신과 조직을 경영 하는데 있어서 매우 중요한 역량이 될 것이다.

<같이 생각해 보면 좋을 질문들>

1. 기존 질서가 무너지는 것을 어떻게 느낄 수 있나?
2. 액상화 현상을 통해 설명된 불안함과 불확실성은 우리 일상 생활과 조직 경영에 어떻 반영되고 있나?
3. 혼란과 불안함 속에서 경영진과 리더들은 어떻게 대응해야 할까? 어떤 최선의 행동을 취할 수 있을까?
4. 경영 환경을 이해하고 변화에 대응하는 역량은 어떤 중요성을 가지고 있나?

5. 변화 저항 에너지를 조직 변화 기폭제로 전환

전세계 경영자가 품고있던 이슈 한 가지가 있었다.

'포스트 코로나 시대, 뒤로 되돌아 갈 것인가 또는 앞으로 나아갈 것인가.'

코로나는 더 이상 통제할 수 없는 외생 변수가 아닌 함께 공존해야 할 내생 변수가 되었다. 역사의 커다란 변곡점으로 기록될 코로나 이후 시대를 살아가고 있는 우리는 매뉴얼이 준비되어 있지 않은 상태에서 COVID-19 뉴노멀을 맞이하였다. 역사적 통찰이라는 기존 질서를 뛰어넘어, 근본적 전환을 위한 준비와 경영환경 변화를 읽어낼 수 있는 시각이 필요한 것이다.

많은 전문가들은 팬데믹을 생물학적 특성으로 인한 자연적 재해로 보기도 하지만, 접촉과 확산이라는 사회 구조적 특성으로 인한 사회적 재해로 보고 있다. 경계를 초월한 연결성과 집중된 연결 위치를 통해 드러난 불과 3개월 만에 전세계로 확산된 전형적인 네트워크 network현상이라는 것이다.

조직 경영도 동시에 새로운 국면을 맞이하게 되었다. 경영의 패러다임 전환에 적합한 조직 재설계가 필요하게 된 것이다. 미래를 준비하는 과정에서 경영자와 리더들은 세계화의 장점을 유지하면서도 그 세계화가 만들 수 있는 리스크를 최소화 할 수 있는 역설적 경영 paradox management 모델로의 전환을 고민하고 있다. 또한 일사분란함이 강점이었던 수직 통합된 기존의 조직 구조와 유연함을 강조하는 새로운 조직 시스템과의 '따로 또 같이' 형태인 성숙한 공존에 힘을 쏟고 있다.

우리는 이번 경험을 통해 원인과 결과가 1대1로 매칭되는 선형적 효율성보다는 원인과 결과가 불분명한 상태에서의 비선형적 민첩성이 얼마나 중요한지 깨닫게 되었다. 예측이 불가능한 위기에서는 전통적 계획 기반 대응이 아닌 맥락과 상황에 기반한 적응성이 얼마나 중요한지 알게 된 것이다.

반면에 새로운 변화를 맞이해야 할 조직과 구성원들은 조급해질 수 밖에 없다. 두려움에 압도될 가능성이 더욱 커졌다. 이러한 큰 변화 속에서 절대 피할 수 없는 것이 바로 저항이다. 변화 자체가 불확실하고 불투명한 특성을 가지고 있어서 모두에게 공포의 대상이 된다. 변화에 대한 저항은 경영진들이 관심있게 다뤄야 할 이슈이다.

변화에 대한 저항은 현재 자신의 상태와 상황을 고수하고 유지하려는 것에서 비롯된다. 또한 변화에 반발하는 부정적인 마음이다. 즉 변화로 발생될 수 있는 모든 위협에 대한 까칠한 총체적 반응이다.

실제로 변화에 대한 저항은 생존과도 연결된다. 익숙하게 자신을 감싸고 있던 안녕과 안전에서 불편과 불안으로의 전환은 기존 생존 방식을 위협하는 것으로 간주되기 때문이다. 변화의 속성 자체가 불편하고 복잡한 것이기 때문에, 변화 과정에서 발생할 수 있는 다양한 충돌과 긴장을 어떻게 무엇으로 승화시키고 전환시킬 것인가는 경영진들에게 매우 중요한 일이 되었다.

일반적으로 조직이 원하고 기대하는 변화는 소극적인 방임보다는 적극적인 개입을 필요로 한다. 또한 조직의 변화는 심플하지 않는 조직 차원의 복합적이고 총체적인 노력이기 때문에 다양한 양상을 보인다. 한 편에서는 변화를 환영하겠다고 하지만 다른 쪽에서는 변화에 환장하겠다고 한다.

특히 조직 변화는 경영의 초점이 바뀌는 것이기 때문에 기존과 완전히 다른 시장과 기술, 경영 기법과 리더십을 요구 받게 된다. 한정된 자원 배분의 우선순위, 보고 절차, 책임 관계 및 업무 범위도 달라진다. 이 때문에 새롭게 배우고 익혀야 할 것들도 많아지게 된다. 변화에서 비롯되는 저항은 피할 수 없지만 계속 누적되는 저항은 부정적 결과를 낳는다. 고의적으로 업무를 지연시키는 행동을 하거나, 불필요한 비용을 지불하게 만들어 조직 내 불안정한 분위기를 야기시킨다. 이는 경영진과 리더들에게는 굉장히 큰 부담이 될 수 밖에 없다.

구체적으로 조직 변화에 대한 구성원의 까칠한 저항은 두 가지로 분류되는데, 경영진들이 미리 내용을 인식하고 예방할 수 있다면 미래를 준비하고 추구하는데 도움이 될 것이다.

첫째는 '까칠한 심리적 저항'이다. 변화 저항은 불안감과 反조직적 행동을 유발하기 때문에 먼저 심리적 차원에서 살펴야 한다. 심리적 저항은 변화에 대한 무관심, 소극적 협력 및 지나친 걱정 등의 태도와 연결된다. 따라서 새로운 제도를 도입할 때 동시에 구성원들의 반응과 느낌을 같이 살필 수 있어야 한다. 심리적 저항을 초기에 어떻게 낮추느냐는 타이밍이 관건인 것이다. 미리 살펴야 관리할 수 있다.

둘째는 '까칠한 행동적 저항'이다. 변화에 대한 불평을 늘어놓거나 주변 사람들에게도 변화의 부정적인 면을 설파하려는 행동을 말한다. 이러한 행동은 새로운 상황에 대한 부정적 반응으로 항의, 태만, 나아가 퇴사로도 연결될 수 있다. 원래 나쁜 것은 더욱 빨리 전이되기 마련이다. 이때는 작은 변화 성공담을 찾아 널리 공유하는 것이 좋다. 또한 긍정적 행동이 조직 차원의 인정과 보상으로 연결된다는 확신을 심어주는 것이 핵심이다.

이와 같이 변화에 대한 저항은 구성원의 마음과 행동 차원에서 통합적이고 입체적으로 살펴보는 것이 중요하다. 변화에 대한 심리적 저항과 행동적 저항을 어떻게 이해하고 관리할 것인가에 대해 경영진과 리더들의 고민이 매우 커질 것이다.

그만큼 저항의 기세와 에너지를 조직 변화에 유익한 기운과 기폭제로 전환시킬 수 있는 경영진과 리더의 역할이 매우 중요해 질 것이다.

<같이 생각해 보면 좋을 질문들>

1. 펜데믹은 기존 경영 방식에 어떤 도전을 제기하고 있는가?
2. 변화에 대한 저항을 심리적, 행동적 차원에서 어떻게 관리할 수 있을까? 또한 변화를 긍정적으로 수용하는 조직 문화는 무엇일까?
3. 경영진과 리더들은 변화 저항을 오히려 조직의 긍정적인 에너지로 전환시키는데 어떤 기여를 할 수 있을까?

6. 리더들 앞에 놓인 어지럽혀진 거대한 책상

출처: Dennis Hong_RoMeLa에서_facebook(2023)

2020년으로부터 21세기는 시작된 것으로 봐야한다는 어느 학자의 주장이 인상적이다. 이유는 간단하다. '혼돈'이라는 단어 하나로 현재 조직에 대한 상황 설명은 되지만, 실제 조직이 직면하게 될 미래에 대해서는 조금도 설명되지 않기 때문이다.

딜레마와 패러독스가 넘실넘실 춤을 추는 시대이다. 경영진으로서는 의사결정 자체가 힘든 것은 물론, 무엇이 진실이고 무엇이 거짓인지 조차 말하기 힘든 상황이다. 따라서 경영진이 우선 딜레마와 패러독스의 존재를 인정하는 것이 중요하다. 또한 각각을 구분하거나 나누지 않고 입체적으로 파악하는 것이 중요하다. 이 속에는 중요한 가치가 숨어있다. 경영과 조직을 각각 구성하고 있는 많은 요인들 사이의 관계가 심플한 직선 관계가 아니라 수시로 상호 영향을 주고 받고 있는 역동적 곡선 관계라는 사실이다.

지금까지의 조직 경영방식에는 우리가 몰랐던 치명적인 결함이 있었다. 물론 지금까지 적용된 방식은 그 이전의 방식 보다 효과적이었기 때문에 적용되고 활용된 것으로 인정은 해야 한다. 그럼에도 불구하고 다음의 두 가지 결함에 대한 논의가 필요하다.

먼저 지금까지의 조직 운영방식에서 바라본 '인간관'에 대한 문제이다. 인간은 본래 게으르고 생각하는 것을 싫어해서 관리 받고 통제 받는 것을 좋아한다는 착각을 가지고 있었다. 노력한 만큼의 당근만 쥐어주면 아무 문제가 발생하지 않을 것이라는 생각이었다. 하지만 구성원들은 조직에만 의존하는 것이 더 이상 현명하지 못하다는 사실을 깨닫게 되었고 조직과의 새로운 관계를 요구하게 되었다. 크게는 자신이 속한 조직의 바람직한 방향성에 큰 의미를 두거나, 작게는 내 업무의 가치와 기여에 관심이 높아지면서 경쟁에서의 승리보다 인간 존엄을 더욱 중요하게 생각하게 되었다. 회사를 먹고 살기 위해 힘겹게 오가는 장소가 아닌, 자신의 가치를 실현하는 과정에서의 중요한 디딤돌로 인식하기 시작한 것이다.

또한 지금까지의 방식은 '철저한 계획'을 지상 과제로 착각하는 결함을 가지고 있었다. 물론 빈틈없는 시장 조사와 고객 분석의 노력은 그 만큼의 좋은 성과를 가져다 준다. 하지만 목표로 하는 타겟이 고정되어 있지 않고 끊임없이 움직이고 있다는 것을 주목해야 한다. 또한 그 타겟은 스스로 확대되거나 축소됨으로써 어느 순간 사라지거나 어느 순간 부각되기 때문에 예측 불허다. 예측 불허는 경영진과 리더들의 불안감을 더욱 높였고 구성원들에게 더 촘촘한 계획 보고서를 요구하게 되었다. 눈으로 숫자를 순서대로 확인해야 안심이 되고 숫자만으로 구성원을 평가할 수 있는 명분이 있다고 생각했다.

하지만 우리 구성원들에게는 오히려 예측 불허와 복잡성이라는 상태를 포용하고 그 속에서 실패와 시도를 할 수 있는 적응적 공간이 절실하다. 초기에 빠른 실패를 통해 문제점을 공론화할 수 있는 조직 분위기와 언제든지 재시도할 수 있는 기회와 여지가 제공되어야 한다. 이러한 적응적 공간과 분위기 형성을 위해 경영진과 리더가 최우선적으로 고민해야할 것들이 무엇인지 명확히 해야 한다. 그 다음에 비로서 조직은 주인의식, 몰입, 역량개발, 협업 등을 구성원들에게 요구할 자격이 될 것이다.

대한민국 모든 경영진들과 리더들 앞에 복잡하게 어지럽혀진 거대한 책상이 놓여있다고 상상해 보자. 각 조직과 리더들의 평소 습관에 따라 어지럽혀진 책상을 보고 보이는 양상은 완전히 다르게 나타날 것이다. 지금까지 빈틈없이 정리정돈을 칼같이 하던 조직은 오히려 지금의 복잡한 현실을 멘붕 그 자체로 느끼게 될 것이다. 어지럽혀진 거대한 책상을 그저 관망할 수밖에 없는 무기력 상태로 머물게 되는 것이다. 반면 평소 어느 정도의 복잡함에 단련되고 이러한 분위기에 익숙했던 조직은 나름의 경험과 질서를 기반으로 비교적 쉽게 책상 위에서 자신이 원하는 물건들을 찾아낼 수 있다.

이러한 상황을 경영 활동에 빗대어 살펴보자. 과거로부터 지금까지의 성공을 견인하던 경영진과 리더들에게 성과라는 것은 가로세로 빈틈없이 촘촘하게 정리된 계획에서 출발하여, 숫자로 가득 찬 보고서를 휘두르며 구성원들을 견고하게 조정, 관리하면 뒤따라 얻게 되는 것으로 믿었던 것이 사실이다.

하지만 이제 게임의 룰이 바뀌고 있다. 이미 바뀌었다. 바닥 자체가 흔들리고 있는 것이다. 일상적 경영 활동 영역에서는 계획과 관리가 유효할 수 있겠지만, 우리가 원하는 변화의 수준에 다다르는 데는 새로운 전략과 전술이 필요하다. 이제 더 이상 숨막히고 진부한 계획들은 던져 버리고, 불확실하고 복잡한 경영 환경을 새로운 기준으로 받아들이고 그 속에서 무엇을 해 볼 수 있을까를 고민하자. 실험 정신과 변화 자체를 상수로 품을 수 있는 분위기를 조성하는데 경영진과 리더들이 앞장설 때이다.

<같이 생각해 보면 좋을 질문들>

1. 지금 우리 경영진과 리더가 겪고 있는 패러독스는 무엇일까?
2. 기존 조직 운영방식의 가장 큰 한계점은 무엇인가?
3. 실패와 시도를 할 수 있는 적응적 공간은 어떻게 만들 수 있을까?
4. 미래를 준비하고 변화를 주도하기 위한 적합한 환경이란 무엇일까?

7. 복잡성을 충족하는 조건들

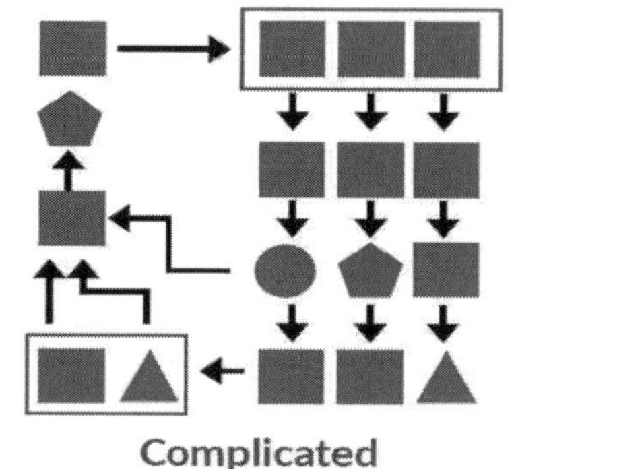

Complicated

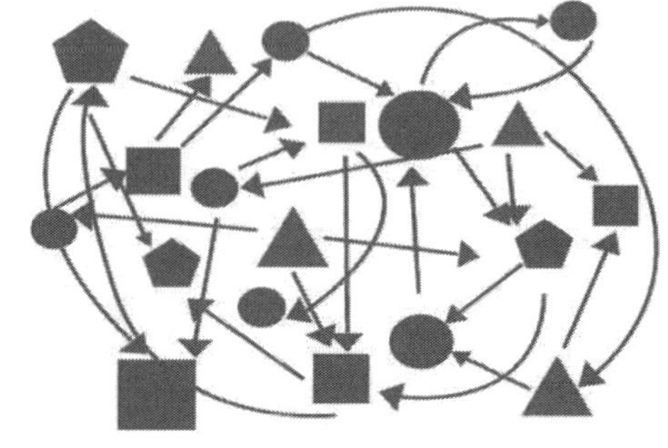

Complex

세상이 복잡해지고 있다는 것은 우리를 둘러싼 자연, 사회 및 경제 분야의 현상들이 함께 모두 복잡해지고 있고 있다는 것이다. 오늘날 경영 방식이 완전히 달라져야 하는 이유는 조직이 처리해야 하는 복잡성 수준이 과거와 다르기 때문이다.

복잡한 시스템은 원래부터 존재 하였다. 하지만 과거에는 덩치가 큰 일부 시스템에서만 복잡성이 포착되었다면 지금은 인간과 관련된 모든 시스템들 속에 복잡성이 포함되어 있다. 또한 IT 기술 발달로 시스템들이 상호 연결되는 것이 쉬워지면서 복잡성은 더욱 가속화 되었다.

복잡한 complex (複雜) 것과 복합적인 complicated (複合) 것은 비슷해 보이지만 독특하게 구별되어 지기도 한다. 먼저 복합적인 시스템을 구성하는 요인들은 각각 자신들이 활동하는데 있어 일정한 규칙을 가지고 있다. 물론 그 안에서 많은 상호작용이 생기지만 고정된 패턴을 따른다고 볼 수 있다. 반면 복잡한 시스템 속 구성 요인들은 역동적인 상호작용으로 인해 때로는 구성 요인 자체가 변화하기도 하는 특성을 가진다. 즉 '복합적인 문제'는 매뉴얼을 꼼꼼히 살펴보면 언젠가는 해결이 가능하지만 '복잡한 문제'는 우리의 인지적 한계를 뛰어 넘고 그 원인과 결과가 선명하지 않기 때문에 전혀 다른 것들을 연결하여 상상해 보는 은유와 맥락과 흐름에 편승하는 스토리텔링이 필요하다는 것을 이해할 수 있다.

좀 더 구체적으로 복잡성이라는 것은 다음의 조건들을 충족한다.

첫째, 어떤 현상과 연결된 것들의 종류가 다양하다. 소위 만들면 팔리던 시절에 공급자는 고객의 획일화된 소비 성향에 맞춰 열심히 많이 생산하면 많은 이익을 얻기에 충분했다. 지금은 고객의 기호에 맞는 차별화되면서도 개별화된 제품과 서비스를 공급하는 것이 지상 과제가 되었다. 즉 다양한 고객들의 공감을 얻지 못하면 생존조차 힘든 복잡한 상황이 되었다.

둘째, 어떤 현상과 연결된 행동들을 한마디로 정의하기 어렵다. 개성과 고유성을 중시하고 경제적 수준과 지적 수준이 높아지면서 기호, 욕구 및 성향 등은 다양해지고 있다. 인간이 취하는 행동 규칙과 패턴을 그만큼 예측하기 어려워 졌다. 반대로 그러한 행동의 패턴을 예측한다는 것이 얼마나 가치가 있고 중요한 일인지 깨닫게 된 것이다.

셋째, 연결된 모든 것은 역동적인 영향을 주고받으며 환경에 적응해 나간다. 서로가 서로에게 필요한 영양분을 공급하고 상호작용하면서 변화하는 환경에 적응, 진화하고 있다. 즉 공존과 상생은 복잡성과 함께 논의되어야 하는 것이다.

위와 같은 3가지 복잡성의 특성으로, 우리에게 다음과 같은 문제가 발생하기도 한다.

첫번째 문제는 의도하지 않은 결과가 나올 수 있다는 것이다.

의도하지 않은 자발적 상호작용이 발생하여 부정적 또는 긍정적 결과가 나오는 경우, 또한 여러 개별 요인들이 결합되면서 전혀 예상치 않았던 결과가 발생하는 경우, 마지막으로 원하지 않았음에도 불구하고 이전과 동일한 결과가 반복 발생하는 경우 등이 있을 수 있다.

두번째 문제는 상황을 파악하기 어려울 수 있다는 것이다.

경영진과 리더 입장에서 상황 파악이 어려울 때는 오히려 예측 자체를 최소화하는 것도 방법이 된다. 오히려 고객에게 주도권을 넘겨주는 방법인데, 조직이 안고 있는 복잡성을 고객 스스로 관리하고 조정할 수 있는 기회와 공간을 제공하는 것에 신경을 쏟는 것이다. 물론 조직 안으로는 복잡성으로 인한 최악의 상태를 예측하여, 일촉즉발 상황에 대한 대응 스토리를 만드는 등 가설을 수립하고 대응책을 검토하는 것이 필요하다. 스토리를 만드는 것은 숫자라는 제약 조건의 영향을 받지 않기 때문에 오히려 뛰어난 통찰력을 줄 수 있다. 창의적 통찰은 인위적으로 계획하여 만드는 것이 아닌, 자연스럽게 드러나는 것이기 때문이다.

변화와 혁신은 경영진과 리더들이 복잡성과 관련된 다양한 개념들을 이해하는 것에서부터 시작된다는 것이 본 도서의 핵심 철학이다. 복잡성을 이해한다는 것은 조직을 구성하고 있는 행위자(본 도서에서는 '조직 구성원들'과 같은 의미로 이해하는 것이 좋다)를 넓고 깊게 이해한다는 것과 같다. 우리가 그렇게 갈망하고 있는 미래 모습은, 변화에 맞는 환경을 조성해 주려는 경영진과 리더들의 의지와 그 안에서 마음껏 뛰어놀 수 있는 구성원들의 역량이 함께 만들어 내는 것이다.

<같이 생각해 보면 좋을 질문들>

1. '복합적인 것'과 '복잡한 것'과의 차이점은 무엇인가?

2. 복잡성 3가지 특성은 무엇인가?

3. 경영진과 리더들은 복잡성을 이해하고 대응하는 데 어떤 역할을 해야 하는가?

4. 변화와 혁신을 이끄는 데 요구되는 경영진과 리더의 역할은 무엇인가?

★ 커네빈 프레임워크Cynefin framework_Dave snowden(1999)

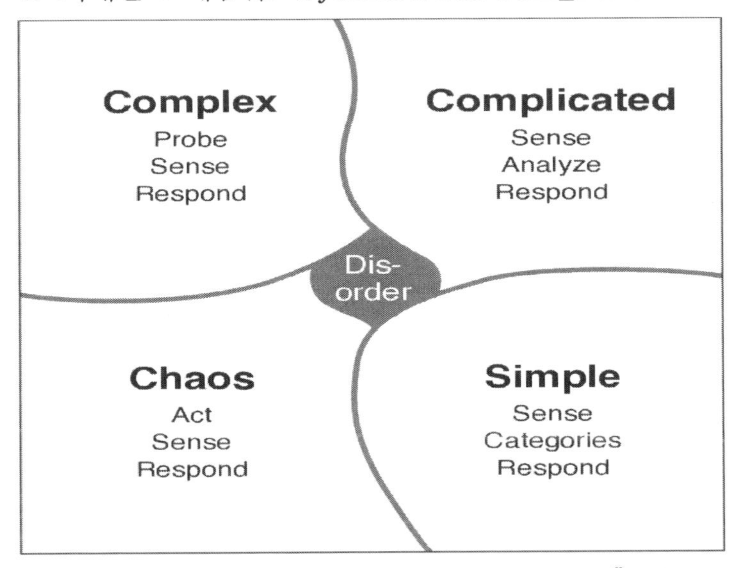

The Cynefin Model. Adapted from David Snowden, "Multi-ontology Sense Making: A New Simplicity in Decision Making," Journal of Innovation in Health Informatics 13, no. 1 (2005): 45-53. © 2009 by Michael Lissack.

단순함에서 복잡함까지
삶은 다양한 문제를 여러가지 방식으로 해결해 나가는 과정입니다.
세상을 정확히 나눌 수는 없지만 어느 정도의 상태로 분류해 놓고 그 영역에서 가장 적합한 문제 해결과 의사 결정이 무엇인지 고민해 보는 것은 지혜로운 방법입니다. 각각 구분된 영역의 특징과 그 안에서의 리더 역할에 대해 알아보겠습니다.

먼저 단순한 simple영역입니다.
원인과 결과가 명확하고 정해진 공식처럼 그 누구도 반박할 수 없는 세계입니다. 단순함은 명확함과 직결되죠. 만들면 팔리던 시절을 상상해 보십시오. 자원이 많이 빠르게 투입될수록 경쟁에서 승리하는 구조입니다. 따라서 그곳에서는 통제, 지시 및 관리 능력이 리더십의 척도가 됩니다.

둘째 복합적인complicated영역입니다.

단순한 영역과 유사하게 원인과 결과가 명확한 상태이지만, 쉽게 문제 해결을하거나 의사 결정할 수는 없는 상황입니다. 문제의 원인들이 켜켜이 두텁게 쌓여있는 상태여서 소위 전문가라는 사람이 나타나서 면밀하게 분석을 해야 문제의 실마리를 찾을 수 있습니다. 만들면 다 팔리지는 않지만, 다양한 제품을 준비해서 팔면 그 중 적어도 하나는 선택 받을 수 있습니다. 꼼꼼하게 진단하고, 분석하고, 해석하면 경쟁적 우위를 점할 수 있는 구조입니다. 따라서 리더의 관찰 능력, 인지 능력, 분석 능력 등이 리더십의 척도와 기준이 됩니다.

마지막으로 복잡한complexity영역입니다.

원인과 결과가 명확하지 않은 상태를 말하지만, 시련과 역경을 겪고 나서 비로서 모든 이치와 관계를 깨닫게 되는 과정이라고 볼 수 있습니다. 변동성과 불확실성이 크고 복잡하면서 애매모호한 시대에 어떻게 슬기로운 생활을 할 수 있느냐는 이러한 복잡한 세상에 대한 이해의 폭과 넓이에 좌우됩니다. 이렇게 복잡성을 이해하는 과정은 지금과 같은 超연결시대에서의 정수를 찾아가는 여정과 같습니다. 정답을 찾는데 급급하기 보다는 다양한 구성 요인들 간의 상호작용과 맥락을 통해 드러나는 모습과 현상을 살핌으로써, 현재에 발을 딛고 미래를 살피는 지혜로운 삶에 가까워 질 수 있습니다.

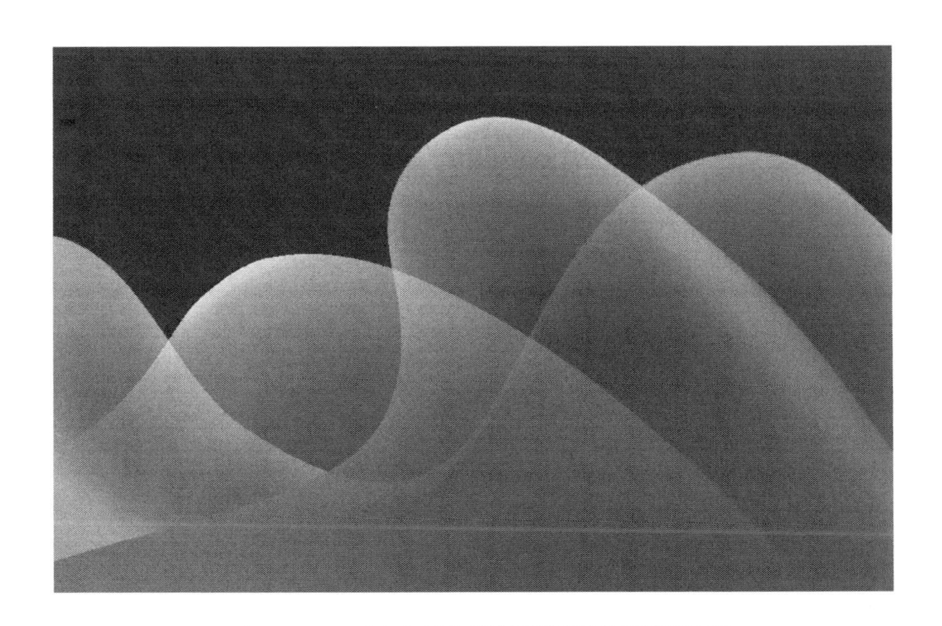

[2장. 요동치면 비로서 보이는 것들]

1. 한계를 느낄 때가 절호의 기회

TPM, BPR, 6시그마, 애자일 등과 같은 경영혁신 활동과 기법들은 왜 생겨나고 유행되는 걸까? 모두 예측 불가능하고 복잡해진 경영 환경에 대한 관심과 해결 욕구에서 촉발된 것이다. 경영 환경을 좀 더 또렷하게 살피고자 하는 요구에서 개발되고 적용되는 것들이 경영혁신 활동, 또는 기법인 셈이다.

본능적으로 경영 환경이 빠르게 변할수록 조직은 자원과 역량의 한계를 극복하기 위해 공식적이고 정형화된 방법을 채택하여 문제를 해결하려 한다. 경영 환경을 둘러싼 위기들 때문에 조직은 기존의 역량과 구조를 가지고는 대응하기 힘들다는 생각을 하기 때문이다. 늘 그러하듯이, 이러한 한계성을 느끼는 순간이 오히려 조직에게 새롭고 역동적인 질서를 추구할 수 있는 절호의 기회임을 경영진과 리더들은 주목해야 한다.

그렇다면 최근 가장 많이 언급되고있는 경영혁신 기법을 관통하고 있는 이론은 무엇일까? 몇몇 이론들이 거론될 수 있지만, 단연코 복잡계 이론 complexity theory을 중심으로 이해하는 것이 현명하다고 말할 수 있다.
경영혁신의 핵심은 조직을 둘러싼 외부 환경과 고객을 폭 넓게 살펴가는 동시에, 조직 내부 구조 및 구성원들의 역동성을 면밀히 탐색하는 것이다. 같은 맥락에서 복잡계 이론은 조직 내부의 자기조직화 self-organization와 외부 환경과의 공진화 co-evolution를 동시에 품고 있다.

조직은 부분과 전체가 유기적으로 연결되어 있기때문에, 구성원들이 접하고 생성하는 적응, 학습 및 변화 활동 등에 따라 조직 전체의 구조도 변화한다. 즉 여러 부분들의 상황과 우연들이 조직 전체의 필연으로 통합되면서 다양한 구조를 보이게 된다. 조직은 구성 요인들의 단순 합으로 만들어지는 것이 아닌, 구성 요인들의 끊임없는 상호작용으로 진화하는 예술에 가깝다고 할 수 있다.
경영이 과학보다는 예술에 가까운 이유이기도 하다.

<같이 생각해 보면 좋을 질문들>
1. 새로운 경영혁신 활동과 기법들의 필요성이 언제 느껴지는가?
2. 복잡계 이론 Complexity Theory이 경영혁신과 관련하여 왜 중요한 역할을 하는가?
3. 경영은 예술에 가깝다고 말하는데, 이 말에 동의하는가?
4. 경영의 예술적인 측면은 어디서 어떻게 나타나고 있다고 생각하는가?

2. 불안정성 에너지를 활용한 관행 타파

먼저 섭동 攝動을 이해하는 것으로부터 요동 搖動을 좀 더 쉽게 이해할 수 있다. 섭동은 시스템이 외부의 영향으로 인해, 작은 변화가 시작되는 것을 의미한다. 기존에 안정되어 보였던 시스템이 외부 영향을 받으면서 조금씩 변화하는 상태를 말한다. 보통 외부 자극이 단발성으로 끝나면 새롭게 들어온 에너지가 곧 다시 빠져 나면서 평형상태를 회복하게 되지만, 외부의 지속적 자극인 섭동이 작용하면 기존 안정 시스템은 완전히 다른 변화를 겪게 된다. 예를 들어, 운전을 하면서 도로 곳곳에 설치된 작은 언덕을 넘을 때마다 자신의 몸도 가볍게 몸이 출렁이는 것이 섭동 현상 중 하나로 볼 수 있다.

반대로, 외부가 아닌 조직 내에서도 역동적인 새로운 질서를 만들기 위해서 다양하고 실험적인 활동이 펼쳐지고 있다. 복잡계 이론에서는 이러한 과정을 요동이라는 개념으로 설명한다. 요동이란 우연성, 불안정성 모두를 포함하는 개념이다. 또한 기존 질서에 의문을 품으면서 새로운 시각과 의견을 제기하는 것을 의미한다. 조직 내에서 감지되는 불안, 혼란 및 갈등과 같은 다양한 문제를 포함한다.

요동이 가지고 있는 재미있는 사실은, 질서가 잘 잡힌 영역과 질서라고는 찾아볼 수 없는 무질서 영역 사이에서 요동은 더욱 요동쳐 변화를 촉발시킨다는 것이다. 예를 들어, 이미 질서가 잡힌 성숙한 기존 사업에서 전혀 가보지 않은 새로운 사업으로 진출하려는 다각화 전략이 요동에 해당된다. 또한 직무 순환을 통해 구성원들 간의 업무를 넘나들게 하는 것, 수시로 관리자를 외부로부터 영입하는 등 다양한 혁신 활동 자체가 요동인 셈이다.

요동을 이용하여 변화를 시도하려는 경영진이 반드시 해야할 것들이 있다. 먼저, 조직을 둘러싼 환경에서 포착된 복잡성을 조직 내부의 유용한 긴장감으로 활용할 수 있다는 생각을 가져야 한다. 오히려 불균형과 불안정성이라는 에너지를 가지고 기존의 관습과 관행을 타파할 수 있다는 생각을 가져야 한다. 질서를 만들어 가는 과정에서 오히려 무질서를 활용할 수 있어야 한다는 것인데, 모순적으로 들리겠지만 연결과 충돌을 통해서 새로운 것이 만들어 진다는 것을 경영진과 리더들은 이해하고 있어야 한다.

복잡계 이론에서는 갈등이 존재하고 긴장감이 맴도는 가운데 발생하는 역동적인 상호작용이 더욱 발전적이고 혁신적이라고 본다. 조직 내 특정 소수 사람들이 촉발하는 독(毒)을 품은 긴장감이 아니라, 다양한 상호작용을 촉진하는 맥(脈)을 품은 긴장감이 중요하다. 최근 리더십에서도 심리적 안전감 psychological safety, 성장 마인드셋 growth mindset, 참여적 의사결정 participative decision making 등이 왜 강조되고 있는지 이해할 수 있는 부분이다.

<같이 생각해 보면 좋을 질문들>

1. '섭동'과 '요동'의 차이는 무엇인가?
2. 외부 환경의 불안정성을 조직 내 신선한 긴장감으로 활용할 수 있는 방법은?
3. 연결과 충돌을 활용해서 새로운 것을 만드는데 경영진과 리더의 역할은 무엇인가?
4. 현재 내 자신을 둘러싼 '섭동'과 '요동'에는 무엇이고 어떻게 느껴지는가?

★ 성장 마인드셋(Growth Mindset)이 어떤 도움을 줄 수 있을까요?

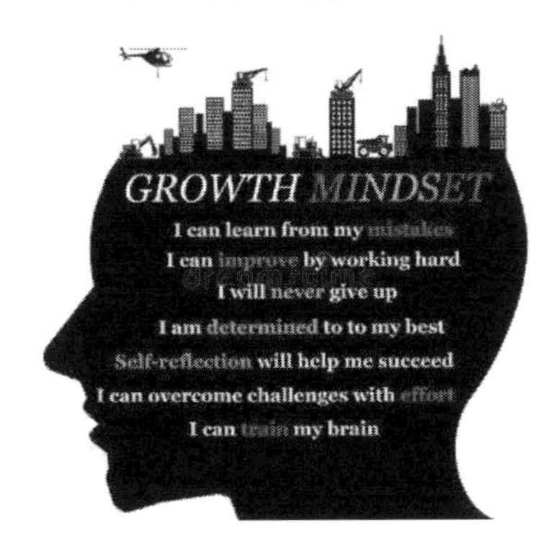

1. 변화 민첩성change agility을 높여준다

- 변화 자체를 변하지 않는 것으로 봐야합니다. 변화는 기존의 일하는 방식을 부정하거나 위협하는 요인이 아닙니다. 성장 마인드셋은 변화 자체를 하나의 새로운 기회로 인식할 수 있도록 해 줍니다.

2. 잠재력 제안 potential proposition을 가능하게 한다

- 성장 마인드셋의 매력은 구성원 자신의 잠재력을 일깨워 준다는 것입니다. 이는 장기적인 관점을 가지고 자신의 업무나 전문성에 집중하도록 도움을 주는 기폭제 역할을 해줄 것입니다.

3. 조직혁신과 학습 organizational innovation & learning 능력을 높여준다

- 혁신은 기본적으로 엄청난 노력과 에너지가 투여 됩니다. 실험과 실패를 반복하는 것 자체가 그 노력과 에너지의 예시가 됩니다. 과거의 성공 방식이 지금은 더이상 유효하지 않다는 것을 알려야 합니다. 더 확장시켜 공유된 가치인 문화로 정착시켜야 합니다. 성장 마인드 셋은 새로운 가설을 설정하고 다양한 시도를 통해 검증해 볼 수 있도록 도와 줍니다.

3. 신선한 긴장 분위기로 창의적 생각과 행동 지원

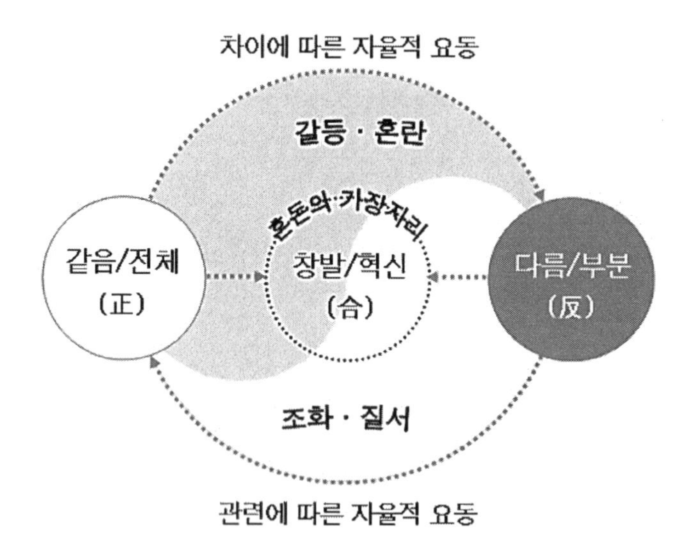

출처 : 송미영·유영만. 2009. 지식의 중층구조에 따른 기업교육 복잡계의 이해

경영진과 리더들이 조직 내 자율적 요동을 만들 수 있는 방법은 무엇일까? 일명 신묘한 재결합이 필요하다. 최근 결합의 전략으로 인수와 합병 M&A을 가속화하고 있다. 이질적인 산업 간의 결합이 잦아지면서 독립적이고 적대적이었던 조직들이 어떻게 함께 일하면서 성과를 만들어낼 수 있느냐가 이슈이다. 과거에는 하나의 종합 시스템을 만들어 기존 구조와 절차를 그대로 몰아 넣는 방식으로 이슈를 해결하고자 하였다. 하지만 지금은 조금 독특한 재결합 방식을 활용해야 한다. 경영진과 리더들은 서로 다른 영역 간 결합을 통해 들끓을 수 있는 갈등과 긴장을 오히려 조직의 새로운 구조 및 새롭게 일하는 방식으로 전환시킬 수 있는 절호의 기회로 삼아야 한다.

또한 이전에는 양립될 수 없다고 생각했던 것들의 강제적 결합을 시도해 보는 것이다. 예를 들어, 마케팅과 R&D, 재무와 고객, 디자이너와 협력사를 함께 묶어 보면서 그 결과에 주목해 보는 것이다. 그러기 위해서는 조직이 그 과정을 지켜봐 줄 수 있는 여유와 인내가 있는지 반드시 점검해 봐야 한다. 그 다음 중요한 것은 시도와 실험 과정에서 발생하거나 발견된 예상치 않은 새로운 행태 또는 패턴에 주목해 보는 것이다. 패턴이 발생한다는 것은 기존에 존재했던 개별적 요인들 자체가 무의미해 졌다는 것이다. 완전히 다른 것이 생성되었다는 것이기 때문에 경영진과 리더들에게는 중요한 포인트가 된다. 패턴은 불확실성 자체를 포용한 상태에서 발견해내는 귀납적 결론에 가깝다. 그렇기 때문에 패턴을 얼마나 잘 찾아내느냐는 그 조직 경영진과 리더들의 수준과 역량을 확인하는 중요한 척도가 된다.

구체적으로 경영진과 리더에게 요구되는 역할은 무엇일까? 구성원들이 만들어 놓은 결과에 대해 단순히 맞고 틀림을 결정해주는 중간 개입자 역할에서, 구성원들 스스로 적응적 역량을 갖출 수 있도록 다각적으로 지원해주는 과정 연결자 역할에 힘써야 한다. 복잡성을 받아들이고 연결하는 과정에서 생성되는 혼돈과 갈등을 조직 내 새로운 질서로 격상시킬 수 있는 자율적 활동을 촉진해야 한다. 자율적 활동의 주체는 구성원 개인이 될 수도 있고, 그룹이 될 수도 있는데 이러한 개인과 그룹 각각의 자율적 활동들 또는 개인과 그룹 간 협력을 지원하고 촉진함으로써 조직은 이전과 다른 모습을 맞이하게 될 것이다.

최근 실패를 용인할 수 있는 문화에 대한 필요성을 강조하고 있다. 임원은 '임시 직원'이라는 씁쓸한 표현이 말해주듯 실패하면 끝이라는 조직 문화를 여실히 보여주는 셈이다. 더욱 슬픈 사실은 조직 구성원들도 그러한 임원들의 숙명을 잘 이해하고 있는지 짧고 쉽고 그러면서도 돋보일 수 있는 단기 성과 위주의 활동에 집중하고 보고하는데 여념이 없다. 우리 조직은 틀에 박힌 규정에서 탈피하려는 시도와 노력을 얼마나 하고 있고, 그 시도와 노력 과정에서 생기는 실수에 대해 어떻게 평가하고 있는지 회고하는 시간이 필요하다.

구성원들이 경직된 과거의 관행에서 벗어나 새로운 것을 탐색하고 탐구할 수 있도록 돕는 것이, 향후 발생할 수 있는 더 큰 실패와 피해를 줄이는 효과적인 방법이라는 것을 경영진과 리더들은 깨달아야 한다. 구성원들이 조직이라는 넓은 실험실에서 마음껏 실패할 수 있는 장(場)을 마련해 주면서도 필요할 때는 신선한 긴장 분위기를 조성함으로써 기존과 다른 창의적인 생각을 품고 주도적인 행동을 할 수 있도록 적극 도와야 한다.

경영진과 리더들은 구성원의 공통 행동을 위한 선순환 시스템을 갖춰야 한다. 구성원들의 기본 행동 원칙을 정립하고 공유하는 것에 집중해야 하는 이유이다. 예를 들어, '크게 생각하고 think big, 작게 시작 start small하여, 빠른 실패 fast fail를 통한 교훈을 습득 lesson learned 한 후, 재시도 restart'까지의 선순환 체계를 만들어 보는 것이다.

이와 같이 요동을 통해 조직 시스템은 한 차원 더 진화해 나가는 계기를 만든다. 호수의 잔잔함에서 바다의 맹렬함으로의 전환 과정에서 나타나는 요동의 출렁임을 감지하는 경영진과 리더들에게만 비로소 보이는 것이 분명 있을 것이다.

<같이 생각해 보면 좋을 질문들>

1. 양립될 수 없다고 생각되던 것들을 결합하는 시도는 어떤 장점을 가져올 수 있을까?
2. 경영진과 리더들은 구성원의 자율적 활동을 어떻게 지원하고 촉진해 줄 수 있을까?
3. 새로운 아이디어를 탐색하고 실험할 수 있는 환경을 조성하는 것이 왜 중요할까?
4. 새로운 공통 행동 원칙으로 우리 팀과 조직에는 어떤 내용을 적용해 볼 수 있을까?

★ 복잡성에 대처하는 경지

하수와 하수가 만나면 하던 대로 그냥 합니다.
선수와 선수가 만나면 날카롭게 비판을 합니다.
고수와 고수가 만나면 자유롭게 그냥과 비판을 넘나듭니다.
문제는 하수와 고수가 만났을 때인데
하던 대로의 공식도 행동 패턴의 예측도 도통 먹히지를 않습니다.
하지만 문제를 해결하는 과정을 살펴보면 그 품격의 차이가 납니다.
하수는 그냥 지금의 상황을 흙탕물로 규정짓고 재수가 없었다고 말하지만,
고수는 소음 속에서 신호를 찾아내는데 여유를 가지고 지혜를 교환합니다.

[3장. 경영진과 리더들의 딜레마]

"혁신과 변화에 대한 구성원들의 높은 능력과 조직의 지향점 사이의 타협점을 찾기 위해 어떤 전략이나 접근 방식을 생각하고 있는가?"

조직 시스템은 구성원들 생각의 수준과 속도를 따라가지 못하고 있다.
예를 들어, IT 기술을 활용하는 구성원들의 능력과 새로운 것을 학습하는 능력은 이미 세계 최고 수준이다. 하지만 구성원들의 높은 수준을 인정하기보다 다른 조직의 도입 여부를 먼저 궁금해 한다. 구성원들은 새로운 변화를 겪고 경험해 나가는 과정에서 관점에도 큰 변화가 생겼다. 조직 시스템이 이러한 구성원들의 변화 정도를 민감하게 따라가지 못하거나 감당하지 못하면 시스템은 허물어지거나 붕괴될 수 있다.
따라서 구성원들의 현재 생각 수준과 조직의 미래 지향점 사이의 적정한 지점 또는 경계를 확인할 필요가 있다. 이와 같이 조직 내 다양한 딜레마 상황을 이해하는 것은 경영진과 리더들에게 중요한 학습이 될 것이다.

1. 보수와 혁신 사이의 딜레마

보수성과 혁신성은 항상 같이 그 명맥을 유지하고 있다. 조직 안에서도 잡아 당기는 관습과 튀어 나가려는 변화 사이의 역동은 끊임없이 일어난다. 팀의 특성에 따라서도 이미 검증된 과제를 주요한 업무로 하는 팀과 새로운 과제를 발굴하는 업무를 하는 팀이 존재한다. 조직 역시 두 유형이 모두 존재함으로써 온전함을 갖추게 된다.

경영진과 리더에게는 이러한 배타성을 가진 것들 사이에서의 균형을 잡는 일이 어렵다. 또한 그 과정에서 공정성을 유지하는 일은 더욱 어려운 일이다. 따라서 두 유형이 모두 필요하다는 것을 알고 있다면 공정하고도 균형 잡힌 상태를 금방 찾을 수 있다. 둘 사이의 밝은 면과 어두운 면 모두를 동시에 이해하고 있기 때문이다. 기존의 습관과 새로운 변화 사이 간의 의존성과 호혜성까지 모두 간파하고 있는 것이다.

앞으로 우리가 불확실하고 복잡한 문제를 해결하기 위해서는, 젖은 낙엽 전략으로 현재 상태를 유지하려는 사람들과 진실한 보수를 구별할 수 있어야 한다. 또한 자기기만 전략으로 선동을 하는 사람과 탁월한 혁신을 구별할 수 있어야 한다.

진실된 보수의 뒤에는 좋은 것만 취하려는 악덕 심리가 숨어 있을 수 있다. 반면, 탁월한 혁신의 뒤에도 잘못된 영웅 심리가 숨어 있을 수 있다는 것을 알아야 한다. 우리가 기대하는 현명함은 보수와 혁신의 미묘한 조화와 균형에서 비롯된다.

조직은 일단 기존의 습관을 준수하고 고수할 수 있어야 현재 구성원들이 현재의 환경 속에서 살아갈 수 있다. 그러나 새로운 변화를 기대하고 포용할 수도 있어야 미래의 구성원들이 미래의 환경에서도 제대로 살아갈 수 있게 된다. 습관과 변화는 이렇게 상호작용함으로써 과도한 질서와 과도한 혼란 사이에서 동적인 안정감을 유지한다는 것이 흥미롭다.

지금 마음껏 뛰놀 수 있는 운동장의 울타리를 존중해 주면서도, 새로운 변화를 감지하고 이해함으로써 새로운 울타리를 넓히는 준비를 해야한다. 조직의 안정성과 역동성은 관습과 변화 두 가지 모두를 얼마나 동시에 잘 다루어 내느냐에 달려 있다.

<딜레마 Key 질문>
조직 안에서, 기존의 관습을 존중하고 새로운 변화를 촉진할 수 있는 방법은 무엇이고 어떻게 준비해야 할까?

2. 전공과 교양 사이의 딜레마

조직 수명은 점점 짧아지고 있는 가운데 축복인지 재앙인지 인간의 수명은 점점 길어지고 있다. 영원한 초우량 기업은 있을 수 없고, 위기없이 오래 버티는 조직도 있을 수 없다. 이유는 간단하다. 조직 생존과 성과에 결정적 영향을 미치는 시장, 기술, 경쟁 등의 경영 환경이 끊임없이 출렁이고 있기 때문이다. 어제의 계획과 전망이 오늘의 시장에서는 맞아 들어가지 않을 수도 있다.

조직이 환경 적응에 실패하거나 시장에서 도태되는 원인은 무엇일까? 흥미로운 사실은 단점보다는 강점 때문에 적응에 실패할 수 있다는 것이다. 조직이 한 번 통했다고 생각하는 전략이나 보유하고있는 자원을 똑같은 방법으로 반복적으로 활용하면 지나치게 능숙해 지기 마련이다. 이를 조직 안에서는 전설적 성공 방정식으로 추대하지만, 문제는 여기서 발생한다. 이러한 성공 방정식들이 다른 사업과 시장에도 확장 적용되면서 초기 성공을 이끌었던 인물들이 조직 안에서 견고한 위치를 차지하거나, 강력한 존재감을 뽐기 시작한다. 더 큰 문제는 한 우물만 계속 깊게 파게 되면 고립되기 십상인데, 시장에서의 게임 룰이 바뀌기라도 하면 그렇게 견고해 보였던 모래성은 한 순간 붕괴되고 만다. 성공의 덫에 스스로 무너져 버리는 것이다.

결과를 예측하기 어려운 불확실성, 끊임없이 변화하는 급변성, 경쟁의 경계가 사라진 無경계성 등의 삼성(三性) 속에 우리 조직은 외롭게 서있다. 이러한 상황에서 규모의 경제와 대량 생산이라는 기존 성공에 집착한다면 치명적 위기를 맞는 것은 시간 문제이다. 환경이 바뀌게 되면 기존 핵심 역량이 오히려 발목을 잡는 실패의 덫이 될 수 있다.
자기만의 전공을 고수하며 과거 영광을 유지하는 것이 아니라, 영역의 경계를 넘나들며 조직에 적합한 학습과 변화를 통해 경쟁우위를 창출하는 것이 중요하다. 날카롭지만 협소한 전공 수업만큼이나 너그럽고 드넓은 교양 수업도 소중한 이유이다. 우리가 선택해야 할 것은 과거의 성공이 아니라 미래의 변화인 것이다.

최근 리더십 학자들은 그 어떤 리더십도 모든 상황에서 통용될 수는 없다고 말한다. 조직 변화와 성장에 필요한 리더십은 스타일 자체가 아니라 처해있는 환경에 얼마나 잘 어울릴 수 있느냐가 관건이다. 정형화된 리더십을 통해 단기적 성과를 만들어 냈던 리더는 그 리더십 자체를 맹신할 수 밖에 없다. 빠르고 강한 성공을 과거에 맛본 리더일수록 자신 리더십 스타일 덫에 빠지기 쉽다.

부지런하고 꼼꼼하며 모든 디테일을 직접 챙기는 일명 공포의 '빨간펜 상사'는 과거 산업시대에서는 소금과 같은 존재였다. 하지만 혁신과 창조 시대에서는 유통성 없이 빨간펜만 들고 자리를 지키고 있으면 큰 일이다. 조직 내 모든 것들을 직접 다 챙기려고 하면 할수록 구성원들은 향후 발생할 수 있는 책임을 회피하기 위해 리더의 입만 쳐다보게 된다. 이는 영혼 없는 추종을 강화시킬 뿐이다.

새로운 변화와 혁신을 도입하고 촉진하는 일에 정답은 없다. 다만 조직을 관리 감독하는데 열을 올리다 보면, 정말 원하고 바라는 변화의 온도를 높이지 못한다는 것에 유의해야 한다.

<딜레마 Key 질문>

과거 성공의 늪에서 빠져 나올 수 있는 방법은 무엇일까? 경영 환경 변화에 적응하기 위해 우리에게 필요한 학습과 변화는 무엇일까?

3. 전략과 실행 사이의 딜레마

경영 환경의 불확실성과 복잡성이 고조됨에 따라 조직이 내세우는 전략도 다양해지고 있다. 산업이 성숙한 단계에 있어 수익이 정체 또는 악화되고있는 업종은 '생존 전략'을 찾게 되고, 미래 새로운 산업으로 떠오르는 업종은 '경쟁력 제고 전략'을 구사하게 된다. 어떤 상황에서도 경영진과 리더는 불황기 생존 전략과 미래의 성장 전략을 찾아야 하는 운명을 가지고 있다.

사실 전략을 수립하는 것보다 중요한 것은 전략 실행이다. 전략 실행에 만족해 하는 조직은 얼마나 될까? 한 두 달 정도 경영진 사무실에 컨설턴트 몇 명이 왔다 갔다 하더니 어느 날 갑자기 새로운 전략이 선포된다. 그 후, "자! 이제 실행하십시오."라고 각 팀들에 지시가 떨어진다. 그야말로 날벼락이 떨어진 것이다.

대부분 실패한 경영의 원인은 전략과 실행의 불일치에서 찾을 수 있다. 조직이 세운 전략은 합리적이고 치밀하였으나 실행이 부족 했다고 몰아가든지, 실행을 했음에도 불구하고 많은 상황 변수들이 작용했다고 말한다. 이는 실행에 대한 잘못된 인식에서 비롯된 것으로 볼 수 있다. 실행을 전략의 후속조치 정도로 인식하고 있기 때문이다. 실행이야 말로 전략의 핵심 엔진이다.

최근 경영 혁신 전략으로 출현한 애자일 경영은 그 자체로 성공과 실패를 판단할 수 없다. 애자일을 도입한 조직이 실행과 실천을 기반으로 애자일 전략을 수립하고 있는지가 관건이다. 애자일은 완벽한 전략 밑에서 완성된 결과물을 만드는 것이 아니라, 실행하는 과정에서 이해 관계자들의 요구를 반영함으로써 시제품을 만들어 계속 수정해 가는 일하는 방식이다. 또한 애자일은 고객 중심의 상품과 서비스를 신속하게 개발하고 개선한다는 것으로,

피드백과 협업이라는 구체적인 실행 방법이 뒷받침 되어야 한다. 피드백과 협업이라는 영양분이 원활히 공급되어야 애자일 전략이 비로서 꽃을 피울 수 있다.

또한 권한 위임이라는 개념을 정확히 이해하고 사용해야 한다. 전략을 기획하는 것이 너무나 중요하기 때문에, 극소수 인원이 전략 수립에 집중한 후에 대다수 구성원들에게 실행을 떠넘기는 것을 권한 위임이라고 생각해서는 곤란하다. 전략 기획과 실행은 독립되어 떨어진 두 단어가 아니라 '전략적 실행'이라는 통합된 한 단어이다. 전략적 실행에 있어서 가장 기본은 자발적 참여와 비전에 대한 공감이다. 구성원의 참여와 공감없이 조직이 무언가 해보겠다는 것처럼 무모한 것도 없다. 전략은 구성원 합의에 의해서 출발하여, 구성원들이 전략적 실행의 의미를 머리로 이해하고 가슴으로 공감함으로써 완성된다. 이것이 가능해야 조직이 그토록 기대하고 바라는 헌신과 몰입까지 가능해 진다. 헌신과 몰입은 애처롭게 뽑아내는 것이 아니라 자연스럽게 드러나는 것이다.

<딜레마 Key 질문>

전략 수립과 실행 사이의 불일치를 극복할 수 있는 방법은 무엇일까? 전략적 실행을 위한 구체적인 전략과 방법은 무엇이 있을까?

4. 결과와 사람 사이의 딜레마

경영진과 리더들의 고민 중 하나는 결과와 사람 중 어디에 집중해야 하는가 이다.

주주들에게만 온통 신경을 쓰게 되면 정작 구성원들에게 신경을 쓰지 못해 조직의 장기적 가치 창출에 악영향을 준다. 특별한 경쟁자 없이 시장에서 잘나가고 있는 조직은 인재와 문화 등 자신들만의 유산을 지나치게 고수하는 바람에 자기 자만과 집단적 사고에 빠질 수 있다.

좋은 성과를 만들면서도 구성원의 지속적 헌신을 이끌어내는 조직을 만들기 위해서 결과와 사람, 둘 사이의 관계를 어떻게 정립해야 할까? 구성원들이 자발적으로 조직을 위해 헌신하도록 하고, 조직도 구성원들을 위해 헌신할 수 있는 그런 관계를 만들어야 한다. 즉 "어떻게 조직이 원하는 변화를 추구하는 가운데 구성원들의 공감과 헌신을 얻을 수 있을까?"라는 질문으로 연결된다.

먼저, 조직 변화를 위해서는 변화의 정당성을 확보해야 한다.

구성원들을 단순 운영자로만 인식하여, 과정 참여를 보장하지 않고 의견 반영을 하지 않는다면 그 조직은 조금씩 쓰러져가고 있는 셈이다. 조직과 리더들은 끊임없이 변화의 정당성을 어필하면서도 구성원과 부드러운 관계를 형성하는 가운데 변화 관리의 핵심을 말할 수 있어야 한다.

구체적으로, 조직 상황과 리더 자신에 대해 솔직히 얘기할 수 있어야 한다. 리더는 진실을 보여주거나 드러냄으로써 구성원들의 신뢰를 얻을 수 있다. 신뢰는 리더의 '열린 자세와 태도'에서 출발한다. 리더의 열린 자세와 태도는 구성원들의 생각과 아이디어를 더욱 잘 흡수할 수 있다. 따라서 조직의 목적을 공유하는데 훨씬 용이하다. 리더의 취약함을 투명하게 드러내는 것이 리더에 대한 신뢰로 연결될 수 있다는 많은 연구 결과와도 그 맥락을 같이 한다.

두 번째는 '입'만 움직이는 선언보다 '몸'이 움직이는 실행이 필요하다.

조직의 99%를 차지하고 있는 구성원들의 마음과 행동을 바꾸고자 한다면 경영진과 리더들의 끈질기고 일관성 있는 솔선수범이 받쳐줘야 한다. 조직의 변화를 시도하는 초기부터 '우리 조직은 1% 윗사람들이 먼저 바뀌어야 변할 수 있다'라는 말이 여기저기 들려오는 순간부터 정신을 차리고 솔선수범에 대해 성찰해봐야 한다.

조직 전체에 공유된 목적성이 없다면 리더 혼자 아무리 발버둥을 쳐봐도 균형을 잡기 어렵다. 물론 불확실성과 복잡성이 짙게 깔려있는 경영 환경에서 조직과 구성원 모두가 공유할 만한 무언가를 만든다는 것은 쉽지 않다. 이럴 때 일수록 가치가 있는 것이 상호 공감할 수 있는 목적이다.

우리는 더 좋은 세상을 만드는데 기여할 수 있고, 우리가 더욱 자랑스럽게 여길 수 있는 성과를 만들어 낼 수 있으며, 우리 서로의 진화를 위해 존재한다.

결과와 사람 모두를 사로잡는 조직에서는 '나'라는 말 보다 '우리'라는 말들이 더 많이 들리는 이유가 있다.

<딜레마 Key 질문>

어떻게 성과와 사람 모두를 조화롭게 다루면서, 공유된 목적에 부합하는 공감과 헌신을 이끌어낼 수 있을까?

5. 꼰대와 낀대 사이의 딜레마

꼰대의 전성시대이다. 그 가운데 중간 관리자들은 꼰대도 아닌 소위 낀대(끼인 세대)로 분류되면서 힘 한번 제대로 못 쓰고 있는 것이 현실이다. 게다가 직급이나 보상도 만족스럽지 않으니 힘이 날 이유를 찾기 어렵다.

하지만 앞으로 중간 관리자들의 소중함과 가치는 상승할 것이다. 이미 디지털 전환과 애자일 전환 시대에서 중간 관리자들의 역할은 그 어느 때보다 중요하다. 업무 진행, 업무 조율, 내·외부 소통 및 동기부여 등 성과와 사람을 아우르는 역할을 하는 사람이 중간 관리자이다. 수평적 조직 문화로의 전환이라는 화두 속에서 새롭게 일하는 방식을 구현하는 동시에 주도적으로 끌고 가야 할 책임이 중간 관리자들에게 상당부분 집중되어 있기 때문이다.

그만큼 중간 관리자 그들에게도 어려움은 많다. 경영진들은 파괴적 혁신을 해야 한다고 말들은 하시는데 중간 관리자들이 매일 접하는 업무 환경 개선 속도는 늦어도 한참 늦다. 반대로, 중간 관리자들을 향한 상사들의 불신도 한 몫 한다. 중간 관리자들이 의사결정을 내리지 못하고 머뭇머뭇하거나 하나부터 열까지 다 지시해 줘야 업무가 진행된다는 상사들의 불만 섞인 목소리가 많다. 회의 시간에는 왜 입을 꾹 다물고 있는지 도대체 무슨 생각을 하고 있는지 알 길이 없다고 한다. 흥미로운 사실은, 중간 관리자들은 자신 상사의 스타일이 어차피 변하지 않을 것을 잘 알고 있기 때문에 입을 열지도, 의사결정을 하지 않는 것인데 말이다. 즉 학습된 무기력에 흠뻑 젖은 악순환 고리이다.

더 큰 문제는 중간 관리자들이 함께 이끌어 가야 할 대상, 후배 세대들이 만만치가 않다. 중간 관리자들은 변화를 외치기 만을 좋아하는 위 선배들과 제발 우리를 좀 이해해달라는 후배들 사이에 끼어 있으니 진퇴양난이다.

중간 관리자들의 스트레스는 역할 혼돈에서 비롯된다. 어떤 정보를 취사선택하고 어떤 지식을 학습해야 하는지 애매하다. 여러 일들을 하는 가운데 선택과 집중을 어떻게 해야 하는지 골치 아프다. 모호성과 갈등의 연속이다.

역할 자체가 모호하니 어디에 에너지를 쏟아야 할지 고민이다. 세상은 실무형 중간 관리자를 요구하니 성과도 만들어 내면서 구성원과의 정서적 교감 및 소통 등 사람 관리도 해야하니 정신이 없다.

이러한 역할 모호성과 역할 갈등으로 신체적, 정신적 피로는 쌓이고 쌓여 무기력을 낳고 나아가 자기 혐오를 불러오는 소진, 우울감까지 불러올 수 있으니 더 큰 문제이다. 또한 내가 무엇을 해도 상황과 조건은 크게 나아지지 않을 것 같다는 학습된 무기력, 한 번의 실패도 용납되지 않을 것이라는 불안감은 중간 관리자들과 조직을 조금씩 병들게 한다.

중간 관리자들의 역할을 재정립해야 한다. 직급 단순화로 호칭이 달라지고 단기적 목표 달성을 위해 꾸려진 TFT task force team의 잦은 출현으로 역할 구분 자체 불분명하지만, 현재 조직 안에서 해내고 있는 일들을 재확인해 볼 필요가 있다.

먼저, 목표 달성을 위한 전략을 수립하고 필요한 자원과 기준을 설정하는 역할을 하고 있다. 두 번째로 자원과 업무의 분배 및 할당 등 조직화를 실행한다. 일이 진행되는 과정에서 구성원을 동기부여하고 촉진하는 역할을 함께 수행한다. 세 번째로, 고객 접점에서 살아있는 정보를 주고 받으며 현장에 있는 직원들과 함께하며, 구성원이 진정성을 가지고 계속 업무에 집중하도록 돕는 역할을 한다. 마지막으로 하나의 단위 과제 및 성과에 대한 측정과 보고 역할을 한다. 이러한 역할의 중요성은 불확실성과 복잡성이 높아지면서 더욱 부각된다. 과거는 전략과 실행을 분리된 개념으로 인식하여 조직에서 세운 전략에는 묻지마 실행 정신만 장착하고 있으면 되었지만, 지금은 팀 속에서 전략을 수립함과 동시에 구체적인 실행 전술까지 펼쳐야 한다.

중간 관리자는 수직적 위계질서가 사라짐과 동시에 함께 사라지는 대상이 결코 아니다. 경영 환경과 공진화 할 수 있는 업무 환경을 조율하고 돕는 조정자로서 더욱 주목 받게 될 것이다. 성공적인 경영은 구성원이 만드는 성과들의 상호작용으로 결정된다. 그 상호작용의 중심에는 중간 관리자가 있다. 조직은 중간 관리자들이 작은 성공담을 자주 체험하도록 독려하는 동시에 정신 건강에도 신경을 쓰고 관리할 필요가 있다. 연결자, 조정자 및 촉진자 역할을 하는 사람들이 정서적으로 소진되거나 냉소적인 반응을 보기에 되면 부정적 파급효과는 클 수 밖에 없다. 조직 내 핵심 역할자로서 경험과 경력을 쌓고, 개인 성장과의 연결고리를 찾도록 기회를 제공하는 조직 차원의 체계적 지원이 중요하다.

<딜레마 Key 질문>
중간 관리자는 수직적 위계질서가 사라진다고 해서 함께 사라지는 대상이 아니다.
중간 관리자의 역할은 무엇이고, 그 역할을 제대로 수행하도록 돕는 지원 방안과 방법은 무엇일까?

[4장. 경영진과 리더들의 딜레마 극복]

1. 가까이 보면 비극이지만 멀리 보면 희극, 메타인지 meta cognition

21세기부터 전일주의적 세계관이 새로운 패러다임으로 자리잡았다. 순간이 포착된 한 장의 스넵 샷이 아니라 여러 연결로 구성된 전체 스토리로 세상을 이해하는 것이다.

시스템 이론 systems theory은 구성 요인들이 서로 연결되어 하나의 시스템을 만드는 관계의 특성을 강조한다. 시스템적 사고 systems thinking는 구성 요소들 간의 상호작용을 전체적으로 연결시킬 수 있는다는 사고 방식을 의미한다. MIT 슬론 스쿨의 제이 포레스터 Jay Forester 교수가 창안한 시스템 역학 systems dynamics에서 그 유래를 찾을 수 있으며, 그 후 포레스터 교수의 제자인 피터 생게 Peter Senge가 <제5경영 The Fifth Discipline>를 통해 시스템적 사고를 널리 알리게 된 것이다.

시스템 속에 숨어있는 구조와 양상을 조정하는 원리가 복잡계의 자기조직화 self-organization이다. 자연 발생적 질서 형성을 뜻하는 자기조직화라는 용어는 시스템 연구자들을 통해 적용되었다. 모든 생명체는 환경으로부터 질서를 그대로 받아들이는 것이 아니라, 에너지가 높은 것에서부터 질서를 하나씩 선택하고 자체 통합함으로써 내부적 질서를 조금씩 형성해 나간다. 이를 잡음 속 질서 order from noise라는 멋진 은유로 표현하기도 한다.
시스템적 사고는 구성원들의 일하는 방식에도 좋은 시사점을 준다.
구성원 개인의 행동 하나가 다른 팀 또는 전체에 어떤 영향을 주는지 이해해야 한다. 예를 들어, R&D는 연구만 수행하는 것이 아니라 연구 기획부터 기술, 제품개발, 테스트에 이르기 까지 다양한 과정에서 영업과 마케팅 등의 유관 부서와 협력해야 한다.

시스템적 사고는 컨설턴트들이 문제를 확인하고 도출하는 강력한 도구로 쓰인다. 조직 내부의 개별적 행위가 어떠한 관계로 연결되어 있고 조직 또는 시스템에 어떠한 영향을 주는지를 확인한다. 즉, 시스템적 사고를 바탕으로 이슈를 찾아내고 해결책 방향을 잡는다. 고객과 입장에서 이슈 핵심을 포착하는 시스템적 사고는 문제의 불확실성과 복잡성이 가중되고 있는 최근 경영 환경에서 중요한 안목이 된다.

메타는 최근 트랜드를 이끌며 다양하게 쓰인다. '더 높은', '초월한'의 뜻인 메타는, 전혀 다른 것들을 연결하여 새로운 상태나 행동을 표현하는 수사법인 메타포 metaphor, 자신이 아는 것과 모르는 것을 자각하여 학습과정을 스스로 조절할 수 있는 지능과 관련된 인식인 메타 인지 meta cognition, 가상과 현실세계의 합성어로 3차원 가상 세계를 뜻하는 메타 버스 metaverse 등이 있다. 또한, 메타 지식 meta knowledge, 메타 심리학 meta psychology, 메타 분석 meta analysis, 메타 모델 meta model, 메타 미디어 meta media, 메타 소통 meta communication 등에 이르기까지 다양하다.

인생은 가까이서 보면 비극이지만 멀리서 보면 희극이라는 말이 있다. 현미경으로 세상을 들여다 보면 본능적으로 쪼개고 나누게 된다. 반대로 세상을 망원경으로 조망해 보면 자연적으로 어우러진 주변을 함께 둘러보게 된다. 경영도 마찬가지다. 상식적으로 구매, R&D, 생산, 영업, 재경, HR 각 영역 전문 교수들이 모여 하나의 회사를 경영 한다면 완벽한 성과를 만들어야 한다. 하지만 그렇지 않다. 경영은 각 영역을 이해하는 것을 초월하여 가치 사슬로 묶어내고 그 가치 사슬을 둘러싼 맥락 또는 정황을 함께 고려하여 사업과 사람을 관리하는 것까지를 포함한다.

많은 경영진과 리더들은 경영 환경은 알 수 없다고 하고, 구성원들은 이해하기 어렵다고 한다. 현미경 만으로 쳐다보면 시야를 가득 채운 복합성에 압도되어 무엇도 할 수 없는 지경에 이르지만, 메타 시각으로 적용하면 복잡성의 의미와 가치를 이해하게 되어 머리 속을 가득 채웠던 딜레마를 극복할 수 있다.

<같이 생각해 보면 좋을 질문들>

1. 전일주의적 세계관과 시스템적 사고는 현재 경영에 어떤 영향을 주는가?
2. 시스템 속에서 자기조직화가 왜 중요한 개념이며, 어떻게 작동하는가?
3. 시스템적 사고를 활용하여 문제를 해결하는 방법을 어떻게 설명할 수 있을까?
4. 메타 시각과 시스템 사고가 어떻게 조직의 효율성과 혁신을 촉진할 수 있을까?
5. 나의 업무에서 메타 시각과 시스템적 사고를 적용할 수 있는 방법은 무엇일까?

★ 시스템적 사고의 5가지 기본 컨셉

1. 선형적이지 않고 모든 것이 연결된 순환구조 입니다.
2. 전체는 단순 부분의 합 그 이상이 될 수 있습니다.
3. 균형을 잡아주는 긍정 또는 부정 피드백이 존재합니다.
4. 시스템 내 요인들 간 역동을 통해 새로운 질서가 형성됩니다.
5. 단순 원인과 결과 관계가 아닌 상호 호혜적 인과성이 존재합니다.

2. 복잡성 속 지혜를 찾는 맥락 지능 contextual intelligence

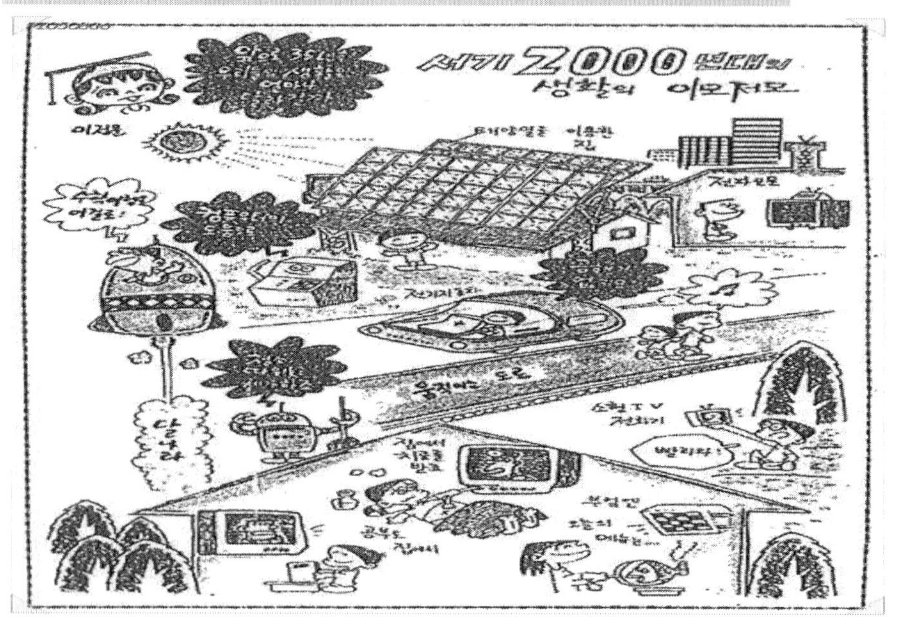

출처: 만화가 이정문 (1965)

위의 삽화를 보면 알 수 있듯이 우리가 지금 경험하는 변화는 1960년대부터 예견된 것이었나 보다. 변화는 원래 은밀하게 진행되는 특징이 있다.

과거로 다시 되돌아 갈 수 없다. 아이러니하게도 이미 겪은 변화에 우리는 적응하여 다시 회귀하는 것을 거부한다. 그렇기 때문에 현재와 시대를 관통하고 있는 새로운 질서를 발견할 수 있는 능력은 중요하다.

역동적이고, 복잡하고, 미묘한 경영 환경 속에서 필요한 역량은 맥락 지능 contextual intelligence이다. 맥락 지능은 주변 상황을 정확하게 인지하여 적재적소에 영향을 미치는 능력으로, 상황에 필요한 행동을 준비하고 상황이 전환될 때 적합한 행동을 취사 선택하여 실행할 수 있는 능력이다. 맥락 지능은 복잡한 문제를 빨리 풀어주는 것은 아니지만, 복잡성을 포용하고 복잡성 속의 지혜를 찾을 수 있게 해준다. 원래 맥락 context의 어원은 복잡하면서도 규칙적으로 조합된 씨줄과 날줄로 구성된 태피스터리 tapestry

를 말한다. 맥락이란 개인이나 집단에 스며들어 독특한 환경을 만들어내는 이념, 경험을 말한다. 따라서 모든 문화에 필수 구성 요인으로 작동한다.

맥락 지능은 우리 경험에도 영향을 준다. 경험을 저절로 쌓이는 것으로 생각하여, 어떤 일을 반복적으로 되풀이하면서 자연스럽게 얻는 것으로 오해한다. 하지만 진정한 경험의 가치는 다른 얘기이다. 경험의 가치는 '어떻게 할 것인가'처럼 구체적 실천 이야기이다. 같은 일을 반복한다고 해서 문제해결 능력이 향상되지 않는다. 의미 있고 가치가 있는 경험이란 구성원 자신과 동료의 가치를 함께 제고시킬 수 있는 경험을 말하며, 그 경험은 구체적인 행동을 통해 얻어지는 것이다. 가치 있는 경험은 행동하고 실천하는 과정에서 더욱 정교하게 된다. 맥락 지능은 시간 누적이 아니라 실제 적용과 직결된다.

그렇다면 맥락 지능이 높은 사람은 어떠한 특징이 있을까? 맥락 지능이 높은 사람은 정형화된 방법론을 배우는데 급급해 하지 않는다. 오히려 실시간으로 들어오는 정보와 지식에 민감한 촉을 가지고 상황에 맞는 가치를 찾는다. 어떻게 해결할 것인지에 급급하여 문제 자체에 압도되기 보다, 과거 경험 속에서 의미를 발굴하고 새로운 의미를 부여하는 등 문제의 배후를 면밀히 살핀다.

맥락 지능을 갖춘 리더의 능력은 다음과 같이 정리할 수 있다.

첫째, 복잡성과의 공존 능력이다.

복잡성을 얼마나 포용할 수 있느냐이다. 시간이 흐르면 패턴이 형성될 것이라는 신념을 가지고 있으며, 그 후에는 패턴의 추이를 살피는 여유와 끈기가 있다. 즉 패턴이 나타나는 과정 자체에 충실하며 상호작용으로 발생할 수 있는 긴장 관계를 이해하고 활용할 줄 안다. 또한 사소한 변화가 큰 파장을 불러 일으킬 수도 있지만, 큰 변화라는 것도 의미 없는 결과로 소멸될 수 있다는 사실을 잘 알고 있다. 특정 어느 환경에서 발생한 급격한 변화는 찻잔 속 소용돌이로 끝나는 경우가 많이 있기 때문이다.

둘째, 모호성과의 공존 능력이다.

모호성을 포용할 수 있는 리더는 구성원들 각자의 정의나 기준을 배려하고 인정한다. 구성원이 의미하고자 하는 바와 리더 자신이 의미하는 바가 서로 다를 수 있다는 사실을 인정한다. 모호성을 받아들일 수 있는 리더들은 의사결정 전에 모든 사실과 정황을 파악할 수 없다는 한계점을 이미 알고 있기 때문에, 모호성이 짙은 상황에서 오히려 실행할 수 있는 용기를 가지고 있다.

셋째, 변화와의 공존 능력이다.

변화 자체를 수용하려는 태도가 필요하다. 변화에 저항하기 보다 변화에 따라올 새로운 기회와 가능성에 주목할 줄 알아야 한다. 문턱과 같은 경계 영역에서 양쪽 거실의 상황을 모두 살필 수 있는 이치와 같다. 우리가 기대하는 변화는 이전과 다른 생소한 영역이라는 것도 잘 알고 있으면서, 그 자체가 운명이라는 것도 잘 이해해야 한다. 변화를 좋아하는 사람은 드물다. 다만, 변화에 조금 더 빨리 적응할 수 있는 인물이 리더이다.

<같이 생각해 보면 좋을 질문들>

1. 맥락 지능은 무엇이며, 왜 현대 경영과 조직에서 중요한 역할을 하는가?
2. 경험은 어떻게 맥락 지능과 관련이 있을까요? 가치 있는 경험이란 무엇인가?
3. 맥락 지능이 높은 리더의 특징은 무엇인가?
4. 맥락 지능을 높이기 위한 교육적 방법들은 무엇이 있을까?

3. 가장 그럴 듯 함을 추구하는 의미 부여 sensemaking

센싱 sensing이 환경을 감지하는 것이라면, 센스 메이킹 sensemaking은 '감 잡기', 또는 '의미 부여하기' 정도로 해석된다. 센스 메이킹은 직관 및 공감 능력 등을 포함하는 사회적 스킬인 동시에 특히 불확실성 환경에서 경쟁자들보다 명확하게 판세를 읽어낼 수 있는 능력이다. 중요한 능력 임에도 불구하고 센스 메이킹은 실증주의에 가로막혀 학문적으로는 인정받지 못했다. 센스 메이킹은 경영 환경을 둘러싼 불확실성과 복잡성을 감지하면서 필요한 행동을 취할 수 있는 것으로, 조직이 풀어야할 난제가 무엇인지 이해할 수 있도록 해준다.

센스 메이킹은 논리적인 연역적 과정과는 달리 그럴듯한 추론을 하는 것이다. 정보와 선택지들을 모두 비교하는 절대적 합리성 추구는 사실상 불가능한 시대이다. 따라서 의미의 사슬을 포착하는 맥락적 합리성 또는 맥락적 주관성을 바탕으로 의사결정하고 가장 적합한 행동을 취하는 센스 메이킹이 중요하다. 애자일 방법론의 특징 중 하나도 그럴듯함 plausibility을 추구하는 것이다. 완성된 제품과 서비스로 평가받는 것이 아니라, 시제품 prototype을 가지고 수시로 피드백을 주고 받는 과정에 초점을 맞춘다.

조직 차원의 센스 메이킹은 어떻게 높일 수 있을까? 가장 중요한 자원은 데이터와 정보이다. 데이터와 정보의 유통 경로를 다양화할 필요가 있다. 사실상 고급 정보라는 것은 정해져 있지 않다. 조직 안에서 지식으로 활용되고 적용됨으로써 나중에 인정 받는 것이 고급 정보이다. 또한 열어 놓고 데이터와 정보의 위치를 살피는 자세가 필요하다. 원래 고급의 귀한 정보는 현장에서 발굴되기 때문에 안전한 동물원이 아니라 불안전한 초원으로 나가야 한다.

또 좋은 방법으로 공감 능력을 키우는 것이다. 대부분의 리더십 교육은 관리 스킬과 운영 도구 향연으로 끝나는 경우가 많다. 실제 구성원들이 기대하는 리더의 모습은 성과도 사람도 모두 잘 이해하는 사람이다. 코칭, 권한위임, 동기부여 및 의사결정 등의 교집합은 자신 및 상대의 처지와 환경을 잘 이해하고 읽어내는 공감 능력에 있다. 나아가 공감을 바탕으로 팀 정체성과 팀 역동성을 살필 수 있어야 한다. 개인 한 사람과 다른 사람들의 조합을 고민하는 것보다, 팀이나 그룹의 역동성과 상호작용을 고려하는 것이 중요하다. 또한 팀의 정체성이라는 구성원들이 정한 규칙과 규범을 상위 개념에 두고 자신의 업무를 수행하고 다른 사람과 소통하도록 해야 한다. 이렇게 되어야 구성원들이 비교적 자유로운 상태에서도 언제 어디서든지 팀 정체성을 상기시키며 스스로 재정비가 가능한 상태가 되기 때문이다. 이를 통해 구성원 상호 간 역할과 책임을 다할 것이라는 신뢰가 형성되고 자신의 업무가 조직에 기여한다는 의미감이 생기게 된다.
팀 생산성은 불필요한 것을 제거해서 올라가기도 하지만 공감 같은 것을 선택해서도 올라간다.

<같이 생각해 보면 좋을 질문들>

1. 센스메이킹은 무엇이고, 왜 지금 중요한 것인가?
2. 지금과 같은 불확실한 환경에서의 의사결정과 센스메이킹은 어떤 관계가 있는가?
3. 애자일 방법론 특징 중 하나인 그럴듯함 plausibility과 센스메이킹은 어떤 관계가 있는가?
4. 조직 차원에서 센스메이킹을 제고하는데 필요한 것은 데이터와 정보 외에 무엇인가?

4. 관성을 탈피하고 외부와 연결 짓는 동적 역량 dynamic capability

어떤 조직은 조금씩 쇠퇴하는 반면, 어떤 조직은 생존을 초월하여 성장한다. 쇠퇴하는 조직과 성장하는 조직은 무엇이 다르고 어떤 결정적 차이가 있을까?

그 대답을 동적 역량 dynamic capability에서 찾을 수 있다. 동적 역량은 조직이 가진 유·무형의 자원과 능력을 환경 변화에 맞게 변화시키고 재구성할 수 있는 능력이다. 동적 역량의 개념은 핵심역량과 비교를 통해 더욱 선명해진다.

핵심 역량은 차별적 자원과 능력 자체를 말하는 반면 동적 역량은 자원과 능력을 바꿀 수 있는 능력을 말한다. 핵심 역량은 남들이 따라하기 어려운 자원과 능력 개발이기 때문에 조직 내부 활동에 초점을 맞춘다. 반면 동적 역량은 관성을 탈피하고, 자원과 능력을 재구축할 수 있기 때문에 조직을 둘러싼 외부와의 연계 활동에 초점을 맞춘다. 동적 역량은 정적 핵심 역량에 비해 더욱 생생하며 끊임없이 변화한다.

동적 역량은 환경감지, 기회포착 및 변화실행 등으로 구성된다.

환경 감지 sensing은 환경의 기회와 위협을 파악하고 분석하고 평가하는 역량을 말한다. 조직에게 유리한 환경이 무엇이고 그러한 환경을 어떻게 조성할 수 있는지에 고민하는 것이다. 환경감지 능력은 기업가적 통찰력과 비전제시를 영양분으로 먹는다.

기회 포착 seizing은 환경 변화에 적절한 자원을 투입하여 새로운 제품이나 서비스를 통해 가치를 창출하는 역량이다. 이 과정에서는 특히 자원 투입과 투자의 적재적소가 중요한데, 타이밍 경영이 조직의 기회 포착 역량을 나타내는 좋은 사례이다.

마지막으로 변화 실행 transforming은 조직이 구축한 자원과 역량을 재구성하고 실질적인 변화를 만드는 능력이다. 기존 관리 방식은 큰 변화가 닥치기 전까지 현상을 고수하는 데는 도움이 된다. 하지만 새로운 경쟁자의 출현이나 파괴적 기술이 등장하면 또다른 새로운 자원과 역량이 절실하다. 급격한 환경 변화에 적응하기 위해서는 자신을 지속 업데이트할 수 있는 역량과 실행력을 갖춰야 한다.

그동안 우리는 앞서가는 조직을 뒤쫓아 추격하는데 애쓰고 모방과 기회포착을 위해 열심히 경쟁력을 키워왔다. 그러나 모방과 추격만으로는 시장에서 새로운 게임의 규칙을 만들 수 없다. 조직을 둘러싼 환경을 감지할 수 있는 역량이 없는 상태에서 기회 포착 역량만으로는 절대 선도할 수 없다. 환경감지 역량을 구축하고 개발하기 위해서는 사내 기업가 정신 entrepreneurship을 공유하고 사내 기업가 육성에 힘써야 한다. 현재 우리나라 대부분 경영자와 리더는 주로 관리 중심의 좌뇌형 리더가 대부분이다. 이들은 기막힌 분석 능력과 논리성을 갖추고 있다. 기존 사업을 관리하고 효율화 하는데 선수임에 틀림없다. 하지만, 창의와 상상력을 추구하는 변화 중심의 우뇌형 리더가 우리 조직에 필요하다. 탁월한 공감력과 민감성을 고루 갖춘 리더가 절실하다.

빠른 의사결정 학습을 위해서는 작지만 민첩한 조직 또는 팀을 만들어 자체 전략과 실행 권한 및 책임을 가지도록 해야 한다. 자율성을 가지고 위험을 감수하면서 사업을 추진해 볼 수 있는 기회를 제공해야 한다. 새로운 기술을 탐색하고 기존 기술과 접목해 새로운 제품과 서비스를 만들기 위해서는 자율성이 핵심이다. 또한 여유와 여지가 함께 제공되어야 한다. 여지 인정과 여유 자원 제공은 새로운 탐색 활동으로 이어져서 새로운 사업 기회의 발견과 혁신적 기술 개발을 촉진할 수 있기 때문이다.

새로운 시도나 실험을 장려하고 실패를 용인하는 조직 문화 구축과 더불어 조직 학습이 일어나야 한다. 새로운 시장 및 고객 창출을 위해서는 해보는 수밖에 없다. 기회포착 역량은 열린 시스템 상태를 유지하면서 새로운 기회를 창출하는 역량이다. 수직 계열화는 거래 비용을 줄이고 스피드있는 운영에는 분명 장점이 있다. 하지만 수직적 통합의 숨막힌 연결고리로 환경 변화에 유연한 대응이 어렵고, 조직 관료화를 부추길 수도 있다. 조직의 유연성, 혁신성, 민첩성을 위해서는 수평 구조로 다양한 정보, 지식 및 기술이 교류되고 교감 되도록 해야 한다. 열린 사고와 열린 조직 시스템을 통한 사업 개발과 구축이 중요하다. 이를 통해, 기회를 제대로 포착하고, 실험과 도전을 통해 새로운 시장과 고객을 만들 수 있기 때문이다.

<같이 생각해 보면 좋을 질문들>

1. 쇠퇴하는 조직과 성장하는 조직의 차이는 무엇이며, 동적 역량이 이러한 차이에 어떻게 연계되는가?
2. 핵심 역량과 동적 역량의 차이점은 무엇이며, 왜 동적 역량이 환경에서 높은 유연성을 유지하는 데 중요한 것인가?
3. 동적 역량을 구성하는 세 가지 요소인 환경 감지, 기회 포착, 변화 실행은 무엇을 의미하며, 각각이 조직의 성장과 성공에 어떻게 기여하게 될까?
4. 자율성을 촉진하고 실험을 장려하기 위한 방법은 무엇이며, 자율성을 가진 팀이 혁신 하는데 어떤 도움을 줄 수 있을까?
5. 열린 시스템 또는 열린 조직이 왜 중요한가? 열린 조직 문화와 학습 환경을 만들 수 있는 방법은 무엇일까?

5. 구성원이 리더가 되는 참여적 의사결정 participative decision making

임원이라는 직책자들이 조직에서 차지하는 비율은 약 1%이다. 실제로 피라미드 꼭지점에 있는 1%가 대부분의 의사결정을 했다는 것도 놀랄만한 일이 아니다. 획일화된 대량소비 시대에서는 극소수의 의사결정이 가장 효율적이고 안전한 방법이었다. 또한 하향식 top-down 의사결정 구조가 타당했던 이유는 1%가 소유하고 있던 지식의 폭과 깊이가 나머지 구성원 99%가 가지고 있는 것보다 넓고 깊을 수 있었기 때문이다.

지금은 고객 민감도를 높여야 비로서 사랑받을 수 있는 시대이다. 99% 구성원들의 디지털 및 글로벌 지식이 1%보다 더 넓고 깊은 시대가 오면서 다른 국면을 맞이하였다. 그럼에도 불구하고 여전히 과거 성공 방정식에 머물러 있는 조직과 사람들이 많다. 구성원들마저도 경영과 의사결정은 원래 꼭대기에 있는 1%가 해주는 것으로 알고 있기도 하다. 그래서인지, 출근을 할 때 자신의 영혼을 회사 정문 출입구 옆에 살짝 걸어놓고 뚜벅뚜벅 들어간다.

반면, 선진 조직은 구성원들 대부분이 참여하는 참여형 의사결정 방식을 채택한다. 구성원 모두에게 리더라는 직책을 줄 수는 없다. 하지만 구성원 모두가 리더가 될 수 있다는 강력한 암묵적 합의가 문화로 자리 잡고 있다. 회의를 수시로 소집하고 많은 자료와 파일들이 오고 가지만 만족할만한 해결책을 찾기는 어렵다. 사람들이 모이고 자료가 배포된다고 해서 좋은 해결책을 만들지 못하기 때문이다. 적어도 복잡한 문제를 해결하려면, 참여하는 형태로 논의를 하면서 문제 현상을 깊게 분석할 수 있는 과정이 포함되어야 한다. 참여적 의사결정 participative decision making과정의 핵심은 명확한 절차에 있다. 얼마나 문제의 본질을 찾고 객관화 시키는지, 다양한 대안을 찾을 수 있는지, 대안 중 최적의 안을 선택하고 의사결정을 내릴 수 있는지를 포함한다. 또한 반대 또는 다른 의견을 가지고 있는 구성원들이 묻히지는 않았는지, 마지막으로 의사결정 사항을 실행에 옮길 수 있는 역할과 책임 소재의 명확함까지도 포함한다.

<같이 생각해 보면 좋을 질문들>

1. 선진 글로벌 조직은 어떻게 참여형 의사결정 방식을 채택하고 있는가?
2. 참여적 의사결정 절차는 무엇이며, 복잡한 문제를 해결하는데 왜 이러한 과정이 필요한가?
3. 의사결정을 내릴 때, 반대 또는 다른 의견들이 묻히지 않도록 할 수 있는 방법은 무엇일까?

6. 정형화된 틀에서 탈출시켜 주는 집단지성 collective intelligence

집단 지성을 잘 활용하면 자기자신을 합리화하려는 태도를 줄일 수 있다. 한 번 설정한 가정을 지나치게 믿게 되는 오류를 줄일 수 있다. 또한 정형화된 틀을 이미 염두하고 해결책을 평가하려는 강박에서도 벗어날 수 있다.

IT 기술 발달로 경영 환경을 둘러싼 정보를 더욱 쉽게 많이 얻게 되었다. 이론상으로는 경영 환경 변화와 관련된 정보와 이슈를 이전보다 더욱 정확하게 파악할 수 있어야 하는게 맞다. 하지만 경영 전반에 걸친 의사결정은 여전히 인간의 고유 영역이다. 기회를 포착하고 평가하기 위해서는 다양한 데이터와 정보를 찾아내고 이해해야 하는데 한 사람의 의사결정으로는 한계성과 위험성이 너무 크다.

조직은 이러한 문제 해결을 위해서 팀 제도 또는 파트 제도를 적용하였고, 소셜 네트워크, 온라인 협업 도구 등의 활용이 폭발적으로 확산되면서 집단지성 collective intelligence 패러다임이 형성되었다.

실제로 집단 지성을 작동 시키는 과정에서는 어려움이 뒤따른다.

하나의 집단은 원하지 않거나 또는 의도 하지 않았던 결과를 만나게 되는 상황이 반드시 온다. 집단의 특성상, 좋지 않은 영향을 줄 수 있는 의사결정을 내릴 수도 있고, 특정 소수를 공격하거나 배제하려는 등의 집단 지성을 부적절하게 사용할 수도 있다.

또 하나는 불분명한 책임소재이다. 어떤 의견들은 누구도 모르게 추진력을 얻어 자가증폭한다. 나중에 한 집단이 잘못된 의사결정을 내렸을 때 누가 책임을 질 것인가?에 대해 판단하기 어렵다는 것이다.

집단 지성을 활용하여 의사결정을 내릴 때 다양성과 전문성 간 균형이 중요하다. 다양성을 최우선으로 문제해결을 하는 것이 좋아 보일 수 있다. 하지만 문제에 대한 배경 지식이 부족한 상태에서 자유로운 의견 개진은 그만큼 리스크를 키우는 것이다. 특히 조직 문제를 해결하는데 있어서는 배경과 이슈를 정확히 확인하고 문제해결의 장에 참여할 수 있는 적합한 대상자를 선정하는 것도 중요하다.

집단 지성에서 놓쳐서는 안될 중요한 부분이 정보보안이다. 정보보안 이슈는 특히 일이 잘 진행되고 있을 때 또는 결정적 성과를 앞두고 있을 때 돌발적으로 생길 수 있다. 시작부터 꼼꼼하게 점검하는 것이 기본이다. 정보 지식 시대에서는 조직 내에서 만이 아니라 밖의 전문가들과 협업하는 경우가 많다. 예를 들어, 전문가들에게 아이디어를 요청하여 진행했을 경우 생길 수 있는 지적 재산권 소유 권한은 사전에 명확히 할 필요가 있다.

실제로 집단 지성 과정에서 생기는 부작용에 대해 연구한 결과가 있다. 논문, 위키백과, 특허 등에서 축적된 지식의 양이 많으면 많아질수록 소수 인물의 영향력이 강력해지는 현상을 보인다는 것이다. 특히 위키백과 불평등 지수는 1에 가까운 0.9이상으로 소수 인물이 거의 독점적으로 컨텐츠를 생산해내고 있으며 새롭게 진입하려는 사람들에게 이들은 그야말로 넘사벽이다. 또한, 다양한 위키미디어 프로젝트의 변화를 측정하였는데, 시간이 지날수록 새로운 참여자들의 유입이 점차 줄어들면서 성장이 둔화되는 것을 발견하였다. 지식이 축적될수록 독점화 현상이 두드러진다는 것을 알 수 있다. 집단 지성이라는 겉포장으로 소수 인물의 영향력과 지식의 독점화가 심해지는 것을 경계해야 한다. 특히 온라인 내에서의 정보가 소수에 의해 독점되면서 사실이 왜곡될 가능성 또한 높아질 수 있다는 점에서 시사하는 바가 크다. 온라인과 디지털 미디어의 급속한 발전으로 우리는 많은 궁금증을 온라인으로 해결하고 많은 정보를 디지털 미디어를 통해 확보하려 한다. 이제는 수동적으로 참고만 해왔던 자료를 통합적으로 분석하고 불균형과 불평등에 대한 부분은 직접 바로 잡을 시기가 도래했다.

이와 같이 구성원들의 의사결정 참여가 활성화되면서 원하는 방향으로 가는 과정에서 만나는 난관도 많아졌다. 이러한 난관을 막기 위해서는 단순하지만 강력한 행동 규칙이 필요하다. 해서는 안 될 명확한 행동 규범을 선정하여 수시로 되돌아 보는 시간이 필요하다. 제대로 준수되고 있는 부분에 대해서는 격려하고 인정하는 것도 좋다. 또한 지속적으로 과학적인 방법 및 빅데이터를 통한 여론형성 과정의 구조를 파악함으로써 소수 인물의 독점화를 막아야 한다. 더불어 새로운 참여자들의 유입과 활동을 적극적으로 지원하고 보상할 필요가 있다.

<같이 생각해 보면 좋을 질문들>

1. IT 기술 발달로 많은 정보를 쉽게 얻을 수 있지만, 왜 여전히 의사결정은 인간의 고유 영역이며, 집단 지성이 필요한 이유는 무엇일까?

2. 왜 다양성만으로는 문제를 해결하는데 한계가 있을까?

3. 정보보안이 집단 지성에서 중요한데, 사전에 어떻게 관리하고 예방할 수 있을까?

4. 소수 인물의 영향력과 지식의 독점화를 방지하기 위해 어떤 행동 규칙이 필요할까?

[5장. 복잡계 경영 이론 Theory]

복잡계는 자연 및 사회 현상을 하나의 시스템으로 인식하고 외부 환경과 끊임없이 에너지를 주고 받으며 소통하는 열린 시스템을 말한다. 또한 시스템을 구성하고 있는 요인들이 상호작용하는 과정을 설명한다._Bertalanffy, 1976

1. 푸른 바닷속 물고기떼

출처: http://mustnews.co.kr/View.aspx?No=297852

푸른 바닷속 물고기떼를 상상해보자. 마치 춤을 추듯 여기저기 몰려 다니며 유연하면서도 복잡한 형태를 보인다. 그러나 서로 충돌하지는 않는다.
복잡성 complexity은 라틴어의 '무언가가 뒤엉켜 있는 상태'에서 기원하며, 하나의 시스템이 환경과 역동적으로 상호작용하며 서로 영향을 주고 받는 것을 의미한다. 복잡계 이론은 20세기 초에 시작된 불확실성, 복잡성, 개방성' 등의 세계관과 불확정성 원리, 양자물리학, 상대성 이론 등의 철학을 담아내고 있다. 자연과학에서는 1900년대 초부터 복잡 시스템 complex systems이라는 개념으로 발전해왔다. 그 후, 1980년대 복잡계 전문 연구 기관인 산타페 연구소 Santa Fe Institute의 설립을 시작으로 복잡계 탐구가 체계적으로 진행되고 있다. 우리가 경험하고 있는 사회적, 경제적 현상들이 자연과학에서 연구해온 복잡계 특징과 많이 닮아있다는 점에서 다양한 학문 분야에서 적용되고 있다.

복잡계 이론은 '이론들의 이론' 즉 메타 이론 meta theory이다. 복잡계 이론은 어느 특정 이론으로 설명되는 것을 거부한다. 다양한 이론을 넘나들면서도 포용하고 있기 때문에 超학문적 이론 transdisciplinary theory이다.

복잡계 이론은 열린 시스템 이론 open system theory에서도 그 토대를 찾을 수 있다. 열린 시스템은 끊임없이 외부와 교류하는 동시에 시스템 내 구성 요인들이 역동적으로 상호작용한다. 따라서 시스템 변화는 자연스러운 것이다. 변화의 핵심은 교류와 상호작용에 있다. 변화는 외부와의 교류와 내부 구성 요인들의 상호작용을 통해 형성된 새로운 질서이다.

조직 역시 하나의 시스템이다. 많은 정보의 교류와 소통으로 영향을 주고받는 관계 인 동시에 연결의 과정이다. 복잡계 이론은 관계 및 연결의 과정을 면밀히 살펴봄으로써 그 구조와 질서를 발견하는 것이다. 세상이 너무 복잡해서 기존 과학적 연구와 방법만으로 세상을 100% 이해하고 설명하는 것이 어렵다는 전제를 가지고 있다. 물론 복잡성 배후에서 숨쉬고 있는 일정한 패턴과 질서를 찾아내는 과정에서 과학적 방법론이 활용된다. 그 과학적 방법론 또한 계속 진화하고 있다. 그럼에도 불구하고 복잡성 뒤에 꿈틀거리고 있을 질서는 객관적으로 존재하기보다 주관적인 시각과 관점에 의해 규정되는 것들이 많기 때문에 복잡계 이론은 과학적 방법이 적용되는 인식론에 가깝다.

복잡계 관점은 '우연성과 필연성'의 관계를 규명하는데 도움을 준다. 역사를 과거로 돌렸을 때 똑 같은 결과가 나올 것인가? 라는 질문에 복잡계 이론은 회의적인 답변을 내놓는다. 매우 작은 변화 하나가 점점 증폭되면서 전혀 다른 길을 만들기 때문이다. 똑같은 상황에서 반복을 하더라도 동일한 결과를 재현할 수는 없다는 것이다.
흥미로운 사실은 그 역사를 거꾸로 돌렸을 때 필연성은 반복 발견된다는 것이다. 따라서, 요인 자체보다는 요인들이 어떻게 역동적으로 상호작용하여 새로운 현상을 보이게 되었는지의 과정을 살피는 것이 중요하다.

조직 경영 관점에서 그동안 경영진과 리더들이 가지고 있던 세계관은 보편적 법칙을 추종하는데 익숙했다고 볼 수 있다. 조직을 둘러싼 환경은 비교적 안정적이고 나타나는 변화 패턴 역시 규칙적이기 때문이었다. 모든 현상을 부분으로 나누면 설명할 수 있었다. 자연스럽게 관리와 통제를 통해 예측하고 분석할 수 있다고 믿었다. 경쟁과 서열을 통해 조직을 효율적으로 운영할 수 있다고 믿었다.
하지만, 왜 이토록 일하는 방식이 만족스럽지 못할까? 왜 이토록 구성원들은 경영진과 리더들에게 불만을 가지고 있을까? 이러한 질문에 답하기 위해 복잡계 기반 경영론자들이 출현하게 되었다.

복잡계 경영론자들의 전제는 세상은 너무 단순하지도 너무 혼란스럽지도 않다는 것이다. 전체를 부분들의 단순한 합으로만 보지 않고 다양한 구성요인들이 상호작용하는 역동적인 관계로 부분과 전체를 폭넓게 이해하려 한다. 조직을 하나의 큰 기계 덩어리로 보고 구성원들을 그 속의 부품으로 인식하는 패러다임에서 벗어나자는 것이다. 조직을 사람들의 영혼이 깃든 살아 숨쉬는 생명체로 인식하는 새로운 패러다임을 수용하자는 것이다.
그동안 복잡계 이론은 거시적 질서에만 주로 집중한 것이 사실이다. 섬세한 상호작용에 대한 구체성이 부족했던 아쉬움이 있다. 따라서 본 도서에서는 저자가 실증 연구한 복잡계 리더십 complexity leadership이 구성원들과 조직의 민첩성 employees & organizational agility에 미치는 영향을 설명하고자 한다. 영향을 미치는 과정에서 구성원들에게 중요한 내적 동기, 협력학습 및 필요 역량 등에 대해 논의하고자 한다. 또한 복잡계 경영을 위해 필요한 경영진과 리더의 새로운 역할들에 대해서도 제안할 것이다. 조직 안에서 생각하고 생활하고 있는 구성원들이 어떠한 상호작용들을 통해 거시적 질서를 만들어 가고 있는지에 대한 이야기는 중요하다. 그 속에서 가장 적합한 리더의 역할과 행동에 대한 논의만큼 중요한 것도 없다.

저자는 다양한 은유를 통해 복잡계의 이해를 돕고 설명하고자 했다.
혼돈의 가장자리, 자기조직화, 공진화, 프랙탈, 창발 등 복잡계 이론에서 사용되고 있는 개념을 조직과 경영에 연결하여 경영진과 리더들이 쉽게 접근할 수 있도록 했다. 개념의 남용과 오용은 혼란을 가중시킬 수도 있지만, 복잡계 주요 구성 개념들에 대한 은유는 경영진과 리더들이 가지고 있을 고민과 불안 등을 자신만의 방식으로 해결할 수 있도록 도움을 줄 것이다. 우리 경영진과 리더들에게 복잡계 핵심 개념을 은유라는 여지와 여백으로 잘 포장된 선물로 선사함으로써 지혜와 용기를 찾는데 도움되는 것이 본 도서의 목적이다.

<같이 생각해 보면 좋을 질문들>

1. 왜 복잡계 이론은 메타 이론 또는 超학문적 이론으로 간주되며, 다양한 학문 분야에서 적용되고 있는가?
2. 복잡계에서 세상은 혼란스럽지도 단순하지도 않다고 하였는데, 이 관점이 조직과 경영에 어떻게 적용될 수 있을까?
3. 복잡계 이론에서는 동일한 상황에서 반복적인 실험을 했을 때 똑 같은 결과를 얻기 어렵다고 할까?
4. 조직을 살아 숨쉬는 생명체로 보는 관점은 어떤 차이를 만들 수 있을까? 그동안의 전통적인 경영 이론과 어떻게 다를까?

★ 조직 경영은 복잡계

1. 경영과정에서 이해 관계자들과 구성원들은 외부 환경과 끊임없이 상호작용하면서 안정적이지 않는 非평형 상태를 형성한다.

2. 경영과정은 인과 결정론적으로 설명되지 않는 비선형적인 특성을 가진다.

3. 경영과정은 경영진, 구성원 및 집단 간의 갈등과 긴장을 유발하는 혼돈의 가장자리 및 공명의 장 특성을 보인다.

4. 경영과정에서 의사결정의 단초가 되는 나비 효과 특성이 나타난다.

5. 경영과정에서 의사결정은 특정 시점에서 급속한 변화를 겪는 임계 현상을 보인다.

6. 경영과정에서 이해 관계자들, 경영진, 구성원 및 집단 간의 피드백 작용이 활발하게 일어난다.

7. 경영을 둘러싼 이해 관계자들, 경영진, 구성원 및 집단 간에는 공통된 패턴을 유지하는 프랙탈 현상을 보인다.

8. 공통된 패턴들은 경영과정에서 새로운 질서를 창발시켜 한 차원 높은 조직문화 또는 제도로 자기조직화하여 진화한다.

2. 혼란스러움 속에 질서가 있는 것

복잡계 이론과 시뮬레이션을 통해 얻은 결과는 주로 사후 설명이다. 사후에 설명된 패턴을 가지고 다른 문제에도 적용할 수는 있다. 하지만, 또 다른 경영 환경 변화가 있을 가능성이 있기 때문에 장기적 예측에는 리스크가 있을 수 있다. 그럼에도 복잡계 이론은 경영 과정에서 보이는 현상과 발생하는 문제를 확인하는데 도움이 된다. 특히 경영진 및 리더와 구성원들 간 상호작용의 질서를 맥락적으로 이해하는데 큰 도움이 된다.

복잡계는 시스템 속 구성요인들이 非선형 상호작용을 하면서 창발 현상을 보이는 것이다. 복잡계는 단순하게 복잡함을 의미하는 것이 아니라 혼란스러움 속에 질서가 있는 것이다. 그 질서는 혼란 속에서 자기와 닮은꼴을 보인다. 이 닮은 모습은 지속적으로 보이는 패턴의 양에 따라 나타난다. 이것을 통해 새롭게 나타난 현상 또는 변화의 배경을 이해할 수 있게 된다.

복잡계는 전체와 부분은 계속 상호작용하는 관계로 본다. 그러다 보니 안정과 불안정이 공존하여 미래 예측과 통제가 어렵다고 보는 것이다. 복잡계 이론의 등장은 超연결시대에서 역동성과 복잡성이 확대됨에 따라 발생하는 예측 불확실성을 극복하고자 하는 노력이다. 복잡성은 데이터와 정보의 정확성에 따라 어느정도 감소되지만, 연결된 이해관계자들의 규모와 범위가 커짐에 따라 복잡성은 다시 커진다. 조직 구성원들이 외부 환경과 상호작용하면서 얻는 정보의 양과 질은 달라진다. 이 정보의 양과 질은 조직이 겪고 있는 불확실성을 증가시키기도 감소시킬 수 있기 때문이다.

<같이 생각해 보면 좋을 질문들>

1. 복잡계 이론은 현상이 일어난 후를 주로 설명하고 있는데, 그럼에도 불구하고 왜 이 이론이 경영과 조직에서 유용할 수 있을까?
2. 구성원들이 외부와 상호작용하면서 얻는 정보로 조직의 불확실성을 어떻게 관리할 수 있을까?

3. 느슨한 관계의 강점

그야말로 네트워크 세상 network based world이다.

개인간 인맥, 조직간 제휴, 국가간 동맹 등 네트워크는 경쟁 우위의 원천이다. 지금은 개인이 소유한 역량, 지식, 기술을 포함한 경제적 자본을 뜻하는 인적 자본 human capital이 중요하다. 앞으로는 타인과의 네트워크 관계에서 오는 경쟁 우위인 사회적 자본 social capital도 중요한 시대가 될 것이다.

조직에서도 관계와 연결에 관심을 가지게 되었다. 많은 조직들이 수평적이고 유기적인 조직 형태를 갖추기 위한 노력을 하고 있다. 구성원들 간 비공식적인 교류를 독려하고 촉진하기도 한다. 공식적인 권위가 점차 약화되고 있는 최근 조직 분위기에서 네트워크 중심에 있는 구성원 개인이 더 큰 영향력을 발휘할 수도 있다. 지식 교류와 정보 공유가 중요해지면서 변화와 혁신을 위한 투명함과 비공식적 관계의 중요성이 더욱 커졌기 때문이다.

사람들은 여전히 끈끈하고 강한 관계가 좋다고 생각한다. 최근 연구들에서 그런 생각들은 무너지고 있다. 느슨한 관계의 강점 strength of weak ties이 말해주듯 간헐적으로 접촉하는 관계가 가진 장점들이 더욱 많다. 미국에서 누구의 소개로 주로 이직을 하는지에 대해 조사를 했다. 상식적으로 최측근 즉, 강한 네트워크로 연결된 사람이 이직에 결정적 정보를 주었을 것으로 생각할 것이다. 하지만 가끔 접촉하는 사람들 즉, 약한 네트워크로 연결된 사람들을 통해 필요한 정보를 얻음으로써 이직을 더 많이 하는 것으로 나타났다. 이직을 위해서는 당연히 새로운 정보가 핵심이다. 하지만 강한 연결 관계인 사람들이 가지고 있는 정보는 구직자가 가지고 있는 정보와 중복될 가능성이 크다. 반면에 약한 연결 관계의 사람들은 상대적으로 참신한 정보를 제공해 줄 가능성이 높다.

이를 조직 경영과 연결해보면, 지금까지 연결되거나 결합되지 않았던 다양하고 이질적인 정보와 노하우를 획득하기 위해서는 약한 연결을 활용해야 한다. 한 곳만 열심히 깊이 파면 기피 대상이 된다. 때로는 네트워크 사이에서 곁눈질을 할 수 있는 여유와 파고들 수 있는 틈새가 필요하다.
서로 다른 구성원들이 가지고 있는 강점, 가치관, 시식, 아이디어들이 자유롭게 뒤섞이면서 우연과 필연이 나타날 수 있는 문화를 조성해야 한다. 개인의 능력을 강조하는 하나의 '점 spot 경영'과 상사와 부하 관계 특성만을 강조하는 '선 line 경영'을 초월하여 조직 전체 네트워크를 고려하는 입체적 '면 cubic 경영이 필요한 시대인 것이다.
조직은 글로벌 경영을 통해 경계를 초월하는 활동 등을 강조하고 있다. 책상머리에서만 진행되었던 R&D research & development 보다는 외부의 지식을 조직 내부의 지식과 연결하는 C&D connect & development정신을 취해야 한다.

최근 팀의 중요성은 더욱 강조되고 있다. 그동안 팀의 성과를 설명하는 프로세스는 주로 개인의 특성과 소통 등의 투입에 따라 팀 성과가 달라진다는 선형적 모델이었다. 하지만 팀 구성원들의 역동적인 관계에 따라 팀 성과가 좌우된다고 보는 것이 더욱 정확하다. 팀 구성원들 간 관계 긴밀성 즉, 네트워크 밀도 network density가 높을수록 긴밀한 소통이 가능하여 협력 및 응집력 효과를 얻을 수 있다. 또한 일부 구성원들이 보일 수 있는 태만을 방지하는데도 효과적이다.
그러나 과도하게 연결되면 점차 중복된 정보를 얻게 되고 외부와의 정보 교류도 제한 받는다. 응집력이 어느 정도까지는 성과에 도움이 되지만 지나치게 되면 다양한 대안 탐색 능력을 저하시키는 집단 사고 group thinking와 같은 부작용을 나타낸다. '00맨' 이라는 정형화된 가치관과 행동 양식을 추구하는 집단 개념은 불확실성과 복잡성이 문제가 되지 않던 시절에는 통했다. 지금은 오히려 Beyond 00맨을 추구해야 한다. 이질적인 구성 요인들의 특성을 활용하고 경계를 넘어선 접촉을 촉진해야 혁신과 변화를 기대할 수 있다.

리더와 구성원 간의 관계에도 네트워크가 적용된다. 단순히 리더가 구성원들 전체와 어떤 관계를 유지하고 있느냐 보다는 구성원이 전체 네트워크 안에서 어떤 위치에 있느냐가 더욱 중요하다. 하나의 팀을 예로 들어, 현장의 살아있는 정보를 가지고 있으면서 네트워크상 비공식적 리더 역할을 하는 팀원이 누구인지 팀장이 파악할 수 있다면 팀 전체 성과를 높이는데 활용할 수 있다. 팀원들이 다양한 집단들과 연결될 수 있도록 지원하고 그 연결사이에서 발생할 수 있는 장애요인을 어떻게 미리 제거해 줄 수 있을지에 대한 고민이 중요하다. 이는 팀 내부 및 외부 네트워크의 최적 환경이 무엇인지에 대한 고민과 연결된다. 팀 내 긴밀한 관계를 유지하면서도 외부의 생생한 정보와 문제해결 대안을 수용할 수 있어야 한다. 과도한 응집력으로 인해서 새로운 관점을 상실하게 되거나, 지나친 외부 연결로 인해서 갈등을 초래하는 일이 없도록 조정이 필요하다. 팀을 둘러싼 네트워크는 고정된 것이 아니라 끊임없이 변화하는 것이기 때문에, 경영진과 리더들의 역할에 따라 조직 내 네트워크의 건강도는 진화할 수 있다.

복잡계 이론이 상호작용이라는 과정에 초점을 두고 있다는 것은 이미 알고 있을 것이다. 최근에는 그러한 과정이 발생하게 되는 구조 structure에도 관심을 가지고 있다. 변화를 겪게 되는 구조는 대부분 네트워크(연결망) 형태를 띠고 있기 때문이다. 네트워크관련 연구는 좁은 세상 네트워크 small world network' 와 '척도 없는 네트워크 scale-free network' 처럼 새로운 시스템 구조가 밝혀짐으로써 非선형적 상호작용들이 어떠한 상황에서 일어나는가를 이해하게 되었다.

각 점 node들이 주변의 점 node들과 균일하게 링크되어 있는 네트워크인 정규 네트워크 regular network와는 달리, 무작위로 몇 개의 점을 선택하여 멀리 떨어진 점들과 연결하면 네트워크 상에 지름길이 만들어지게 되는데 이러한 지름길 link는 네트워크 구조 내부의 연결 거리를 급격하게 단축시켜 좁은 세상 small world 네트워크를 만든다.

또한 척도 없는 네트워크란 아주 적게 연결된 점들은 많은 반면에, 아주 많은 연결 관계를 가지고 있는 점은 몇 개 되지 않는다는 것이다. 항공 지도를 살펴보면 몇 개의 공항은 아주 많은 노선을 가진 허브 hub 공항으로서 역할을 하고 있다. 하지만 대부분의 공항은 적은 수의 노선을 가진 공항들이다. 척도 없는 네트워크는 선호하는 연결을 통해 네트워크가 점점 성장하게 된다. 예를 들어, 맛집을 다른 사람에게 추천하면서 연결의 숫자가 늘어나는 것처럼 새로운 연결을 통해 또다른 점 또는 허브가 생성되면서 성장하게 된다.

복잡계를 하나의 네트워크로 설명하려는 시도가 네트워크 이론이다.
시스템 안에는 많은 소규모 집단들이 존재한다. 집단 지성이 중요해지는 정보와 지식사회에서는 그룹의 역할이 더욱 중요해졌다. 그러나 네트워크 이론은 단순히 하나의 그룹을 설명하는 것이 아니라 조직 전체를 메타적 시선으로 바라보게 한다. 다음과 같이 네트워크 이론을 크게 3가지 유형으로 정리할 수 있다. 각각의 장단점은 존재하며, 그룹 내 정보들이 구성원들에게 공유되는 방식을 이해할 수 있다.

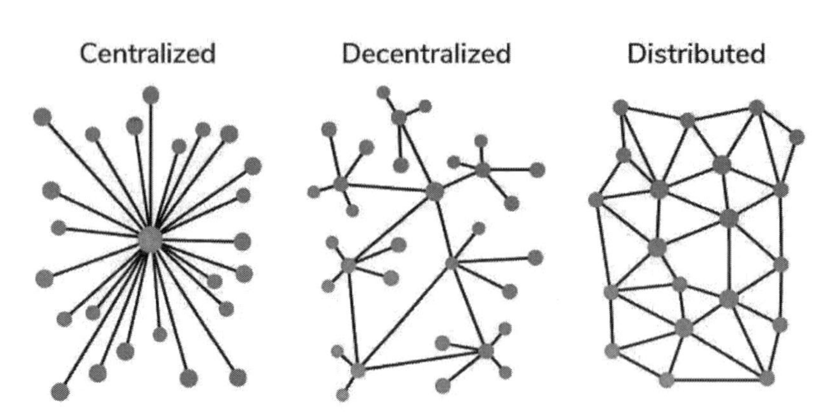

그림1 centralized 그림2 decentralized 그림3 distributed

각각의 구성 요인을 노드 node라고 하고 이 네트워킹의 한 가운데에서 중심을 잡아주는 역할을 허브 hub라고 한다. 그림에서 보듯이 네트워크 자체 안정성은 보장된다.
그림 1은 중앙집중식 형태로 중앙 허브에 의해 다른 노드가 파생되는 방식으로 정보가 전달된다. 이 형태는 높은 효율성을 보장한다. 하지만, 허브가 무너지는 순간 나머지 노드들은 다른 노들과 상호작용이 급격히 둔화되면서 네트워크 생존 자체를 위협받게 된다. 즉 위기상황이 왔을 때 극복하기 어려운 시스템이다.

그림 2는 허브를 별도로 두지 않고 허브 역할을 일부 대행하며 노드 간 활발한 상호작용을 한다. 중앙집중식 형태와 달리 상대적으로 안정성을 유지할 수 있는 네트워크 시스템이다. 그러나 유지를 위해 노드와 노드 사이에 상당수의 매개 역할자들이 필요하다. 이 역할자들의 희생과 이로 인해 발생하는 비용으로 안정성이 유지되기 때문에 아주 건강한 시스템이라고 볼 수 없다.

그림 3은 척도로부터 자유로운 형태 scale free network이다. 중앙의 허브와 이를 돕는 매개자 및 노드들이 적당한 수준의 상호작용을 통해 네트워크를 유지한다. 척도로부터 자유롭다는 것은 정해진 크기가 없고 상호작용을 통해 시스템이 골고루 발전 및 진화하기 때문에 이곳 저곳에서 자기 닮은꼴들을 발견할 수 있다는 것이다. 어느 한 편의 완벽한 이득은 있을 수 없지만 가장 안정적이며 건강한 시스템이다. 조직 건강은 정보들이 잘 공유 되는지의 '정보 유통'과 시스템이 골고루 잘 발전되고 있는지의 '시스템 진화' 두 가지가 중요한 척도이다. 정보 공유와 시스템 진화를 통해 조직의 새로운 변화가 시작된다.

네트워크 구조에서는 자기조직화, 프랙탈 및 창발 등과 같은 복잡계 개념들이 등장한다. 복잡계 이론을 적용하여 집중 현상과 쏠림 현상을 분석해 본다면 그 과정을 이해하는데 큰 도움이 된다. 네트워크에서는 갈등, 긴장 및 충돌이 적당히 있는 관계 속에서 창조와 확장이 일어난다고 본다. 복잡계 이론이 구성 요소들 간 관계에 집중하는 만큼, 소통과 협업 및 갈등 등 조직 이슈를 네트워크 분석을 통해 역동성을 확인해 보면 과정과 구조의 체계적인 파악이 가능해 진다.

<같이 생각해 보면 좋을 질문들>

1. 왜 네트워크가 개인, 조직 및 국가 간 경쟁 우위의 원천이 되는가?
2. 느슨한 관계의 강점은 무엇일까?
3. 외부와 내부 지식을 연결하여 조직 자산으로 만드는 것은 왜 중요한가?
4. 네트워크 구조에서 중심화, 분산화 및 분산형 구조의 차이점과 장단점은?
5. 네트워크 이론을 조직 구조와 리더십에 어떻게 적용할 수 있을까?
6. 네트워크 분석을 통해 소통, 협업 이슈를 어떻게 접근할 수 있을까?

★네트워크 분석이 뽑은 Best Player

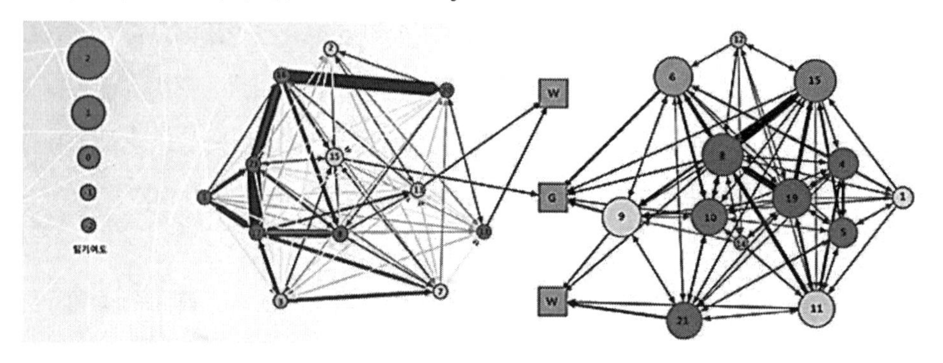

*설명: 원에 표시된 숫자는 선수의 고유 번호, 원의 위치는 각 선수의 포지션. 골대로 향한 슈팅(G)과 골대를 벗어난 슈팅(W)을, 원과 원을 잇는 선은 선수 사이의 패스를 의미. 선이 굵을수록 패스 성공률이 높다는 뜻. 원의 크기가 클수록 선수 기여도가 높음을 의미함.

2010년 복잡계를 연구하는 공학자들이 흥미로운 연구 결과를 발표했다. 연구 대상은 축구였다. 자체 개발한 알고리즘을 가지고 유로 2008에서의 베스트 20명을 선정하였는데, 기존 축구 전문가들이 엄선한 베스트 20명 명

단과 큰 차이가 없었다.

축구는 야구와 다른 점 두가지가 있다. 일단 야구는 공격과 수비가 명확하게 구별되는 반면 축구는 90분 동안 끊임없이 공을 서로 다루는 경기이다. 공격이 수비가 되고, 어느새 수비가 공격에 가담하는 예측이 불가능하다. 한편 야구는 개인 기록을 다양한 영역에서 데이터화하는 것이 가능하여 '통계 스포츠'라고 한다. 축구는 한 경기당 득점이 많이 나지 않아 최고의 선수를 선정하는 것 자체가 어렵다. 그만큼 주관적인 견해가 들어갈 수 밖에 없다.

이러한 축구 분석의 한계를 사회적 네트워크 분석 social network analysis 방법으로 해결하였다. 각 경기당 선수들 간의 패스 성공률, 슈팅 성공률, 수비 역할, 전체 경기 흐름 역할에 대해 네트워크 분석을 한 것이다. 이 분석의 주요한 요인은 선수들 간의 패스 횟수와 슈팅 횟수이다. 축구를 잘 아는 사람은 공격을 하는 동안 또는 수비를 하는 동안에 패스가 어떻게 경기 흐름을 주도 했는지와 그 패스가 슈팅으로 연결되어 팀 승리에 실제 기여를 했는지가 얼마나 중요한지 알고 있을 것이다. 이와 같이 적재적소에 공을 공급해 전체적인 팀의 리듬을 조절할 수 있는 능력과 역할을 중앙성 betweenness centrality을 이용해 수치화 하였고, 이러한 중앙성 분석을 이용해 결정적인 슛까지 연결되는 과정에서 가장 많은 영향력을 발휘한 선수를 평가하여 Best 20을 도출한 것이다.

복잡계로 새로운 세상을 바라 본다는 것은, 알고리즘과 과학적 방법을 적용하여 실체를 논리적으로 분석하는 것과 동시에 은유와 스토리를 활용하여 보이지 않는 것을 개념화하는 것을 말한다. 조직 내 분석 도구와 방법을 도입하는 것에 그치지 말고 조직 전체가 공유할 수 있는 통찰을 만드는 것이 중요하다.

[6장. 복잡계 경영 흐름 Process]

1. 복잡한 세상과 복잡계 경영

경영진과 리더들은 복잡성의 개념을 새로운 경영 실천법으로 삼아야 한다. 경영이라는 시스템은 구조, 전략, 절차, 리더십 및 구성원 역량 등의 부분들로 구성되고 만들어진 전체라고 볼 수 있다.

저자는 복잡계 경영을 '조직 구성 요소인 구조, 전략, 절차, 리더십 및 역량 등이 서로 간에 또는 외부와의 상호작용을 통해 조직에 가장 적합한 모습으로 변화하고 진화해 나가는 과정'으로 정의하고자 한다. 따라서 복잡계 경영은 고정된 명사가 아니라 움직이는 동사인 것이다.

복잡계 경영은 작은 변화를 시작으로 원하는 큰 변화를 이끌어 낼 수 있다는 자기조직화 self-organization적 개념을 전제로 한다. 자기조직화에는 원하는 변화와 혁신에 필요한 헉소리가 나는 작은 혼돈이 필수이다. 실제로 조직에 가장 빠르게 큰 임팩트를 줄 수 있는 방법은 리더십 자체를 교체하는 것이다. 리더십 교체는 조직을 혼돈의 가장자리로 가장 빨리 가져갈 수 있는 방법이다. 그러한 혼돈의 가장자리에서 기존 관행과 완전히 다른 변화와 혁신의 기운이 넘쳐 나는 것이다.

펩시가 세계 음료시장의 새로운 강자가 되었을까? 펩시가 음료시장에서 사랑을 받고 있는 이유는 다양성 존중이라는 작은 인식의 변화에서 찾을 수 있다. 펩시 최고 경영자 인드라 누이가 등장하기 전까지 펩시에는 여성 리더가 거의 없었다. 게다가 당시에는 다문화에 대한 이해가 있는 리더가 없는 실정이었다. 그러나 머지않아 펩시는 다양성의 상징이 되었다. 사내 이사와 구성원들의 여성 또는 소수민족 비율을 30% 이상으로 높이면서, 다양한 문화와 전통을 이해하고 존중하는 분위기를 조직문화로 연결한 좋은 사례이다.

반대로 한 사람으로 인해 조직 전체에 위기를 자초한 경우도 있다. 230년 전통을 가진 영국을 대표했던 은행이 28살 딜러 한 명의 만행으로 타국에 1파운드에 팔리는 사건이다. 거래 중 발행하는 손실을 자신만의 별도 계좌에 은폐하면서 조직은 조금씩 몰락하고 있었다. 나중에 알려진 사실이지만, 이 직원 한 명이 초래한 손실은 조직 전체의 매출보다 더 컸다. 더욱 놀라운 사실은 1995년 은행이 몰락하기 전까지 이 직원이 펼친 은폐 전술로 인해 은행 전체 수익의 20%를 책임지는 것처럼 보여지면서, 최고의 딜러상을 받았다고 한다.

최근 마케팅 영역에서 네트워크를 통해 투자를 결정하고 진행하는 것 역시 복잡계 자기조직화 개념을 경영에 접목하고 있는 것이다. 네트워크 상의 가장 중심이 되는 인물, 영향력을 가지고 있는 인물을 찾아 마케팅에 활용하는 방법이다. 더 나아가 그 인물을 조직 안으로 영입하는 등 적극적으로 활용하기도 한다. 더욱 넓어지고 강력하게 연결된 시대에서는 허브 역할 하나가 전체 시스템에 큰 영향을 준다. 그렇기 때문에 조직 입장에서는 그 허브에 있는 인물이 소중한 존재인 동시에 위협적인 존재가 될 수도 있다.

복잡계 경영의 특징은 정해진 것도 일정한 방향성도 없다는 것이다. 불확실성과 복잡성이 짙은 환경에서는 예상하지 못한 공간 즉, 시장에서, 예상하지 못한 시간 즉, 타이밍에서 오히려 기회가 생길 수 있다. 따라서, 왜 조직을 좀 더 민첩하게 해야 하고, 다양성을 존중해야 하며, 조직의 존재이유를 명확히 해야 하는지, 왜 실패를 용인할 수 있는 문화를 만들어야 하는지에 대한 고민과 해법이 필요한 것이다.

<같이 생각해 보면 좋을 질문들>

1. '자기조직화'의 개념을 적용하여 어떻게 작은 변화로부터 큰 변화와 혁신을 유도할 수 있을까? 실제로, 프로젝트 팀 또는 일반 팀에서 어떻게 시도할 수 있을까?
2. 다양성과 다문화에 대한 존중을 통해 펩시가 성공을 거두었던 사례를 보았을 때, 우리 조직은 어떻게 다양성을 더 잘 통합할 수 있을까?
3. 실제로 영향력 있는 인물을 통해 사업 또는 마케팅에 활용해본 사례가 있는가?
4. 예상하지 못했던 순간, 타이밍에서 오히려 기회를 만난 경험이 있는가?

2. 복잡성에 적응해가는 복잡 적응 시스템, Complex Adaptive Systems

시스템은 부분들로 만들어진 전체이다. 인체 시스템, 면역 시스템, 방송 시스템 및 경영 시스템 모든 것이 시스템이다. 수 많은 부분과 요인들로 구성된 하나의 전체이다.

시스템은 두 가지로 분류된다.

먼저 외부와의 교류를 극도로 꺼리며 정보를 교환하지 않는 닫힌 시스템 closed systems이 있다. 이와 반대로 오픈 시스템 open systems이 있다. 조직에서 열린 open이 주는 의미는 조직 밖으로 개방하는 것뿐만 아니라 조직 안으로는 기존 질서의 해체도 고려하는 것이다. 열려있어야 조직 내부에 여유와 틈이 생겨서 구성원들이 자신들의 기능과 역량을 충분히 발휘할 수 있다. 지속성장을 기대하고 있는 조직들은 모두 열린 조직 시스템을 지향한다.

또한 열린 조직은 IT 시스템을 충분히 활용함으로써 超연결시대에 편승할 줄 안다. 정보의 소유와 권한이 조직보다 고객들에게 더욱 집중되고 있는 지금의 경영 환경에서 소통과 IT 시스템 활용은 매우 중요하다. 슐츠 Schultz는 조직 안에 이미 존재하고 있는 고객정보를 상호 공유하는 활동만으로도 그 조직이 원하는 입체적 고객정보를 80%까지 파악 가능하다고 했다.

개방된 시스템은 사람의 호흡 활동과 유사하다. 외부의 공기를 끊임없이 받아들이며, 이산화탄소를 끊임없이 내뿜는 활동을 한다. 인간 체계 human systems는 환경을 통해 물질과 에너지를 흡수하고, 이를 다시 환경으로 배출한다는 점에서 오픈 시스템이다.

복잡적응시스템은 복잡계에 적응적 adaptive요소가 더해져서 보다 확장된 상호작용 시스템을 의미한다. 적응이란 구성 요인들이 외부환경의 자극이나 다른 구성 요인들의 행동에 반응하여 스스로 행동 규칙을 바꾸는 것을 말한다.

즉 복잡적응시스템은 구성 요인들의 상호작용을 통해 학습과 적응이 만들어지면서 함께 진화하는 시스템이다. 복잡적응시스템 안에서 새로운 질서를 만들기 위해서는 보다 독립적이고 개방적인 구조를 유지하는 동시에 이질적이고 다양한 구성 요인들의 상호작용을 촉진할 필요가 있다.

복잡적응시스템의 예로 학습 공동체 learning community를 들 수 있다. 학습 공동체는 다양한 구성원들이 서로의 지식과 경험을 공유하며 역동적으로 학습하고 적응하는 연결망이다. 학습 공동체 안에서의 정보 공유와 새로운 정보 해석은 지속적인 개선을 가져온다. 복잡적응시스템에서 흐르는 정보의 속도를 조정하고, 구성원들 간 연결성을 촉진하며, 지식과 경험의 다양성을 높이는 방법을 모색하기 때문이다.

복잡계 이론은 학습 공동체 안에서 또 다른 복잡적응시스템이 작동하면서 창발되는 새로운 질서를 이해하는데 도움을 준다. 복잡적응시스템은 예측하고, 경험하고, 학습하면서 끊임없이 구성 요인들을 수정하고 재정렬하는 영구적인 신선함을 추구한다고 볼 수 있다.

정리하면, 복잡적응시스템은 크게 다음의 세 가지 특징을 가진다.

첫째, 상호 호혜적인 관계를 가지고 있다. 시스템 내 구성원들은 자신만의 인지구조를 가지고 판단하고 행동한다. 이러한 인지구조는 시간이 지나면서 조금씩 변화한다. 하지만 다른 구성원들의 인지 구조와 만나 피드백을 주고 받으면서 새롭게 변화하기도 한다.

둘째, 구성원들이 적응하기 위한 행동은 자연스럽게 다른 구성원들에게 영향을 미친다. 이를 함께 진화한다는 공진화 co-evolution라는 개념으로 표현한다. 공진화는 아주 안정적인 상태나 아주 불안정적인 상태가 아닌 그 중간 어느 지점과 영역에서 일어나게 된다.

셋째, 끊임없이 진화한다. 시스템 안의 구성원들이 유입, 방출 및 변형되면서 시스템은 진화한다. 이때 새롭게 유입된 구성원들은 기존의 구성원들과 재결합하면서 또 다른 성공사례를 만들어 내면서 시스템을 진화시킨다.

복잡 적응 시스템은 경영 전략에도 활용된다. 새로운 제품과 서비스는 어떻게 기존의 것들을 집어 삼키고 새로운 시장에서 질서를 만드는가? 이 질문에 대한 대답은 복잡적응시스템을 이해하는 것에서 출발한다.
복잡적응시스템은 시스템의 구성 요인들이 상호작용하면서 만들어 내는 非선형성을 통해 이전에 없는 새로운 질서를 만드는 과정이다. 여기서 새로운 질서의 출발점을 만들었던 사건 또는 계기는 사후에 알게 된다. 즉 징후를 미리 식별하고 그 잠재성을 파악하는 것은 불가능하다. 변화가 만들어지는 과정에 실시간으로 관심을 가지면서 시장과 고객 반응에 민첩하게 적응해 나가는 것이 훌륭한 전략인 이유이다.

<같이 생각해 보면 좋을 질문들>
1. '열린 시스템'과 '닫힌 시스템'의 차이점은 무엇이며, 어떻게 조직이 열린 시스템을 통해 발전할 수 있을까?
2. '공동체 학습', '학습 공동체'가 어떻게 복잡적응시스템과 관련이 있는가?
3. 나는 내 속에 있던 질서를 뛰어넘어 새로운 질서를 만들어 본 경험이 있는가?
4. 어떻게 시장 동향과 고객 요구사항에 신속하게 반응할 수 있을까?
5. 복잡적응시스템 개념은 조직의 미래에 어떻게 적용될 수 있을까?

3. 창의와 혁신이 득실거리는 혼돈의 가장자리, edge of chaos

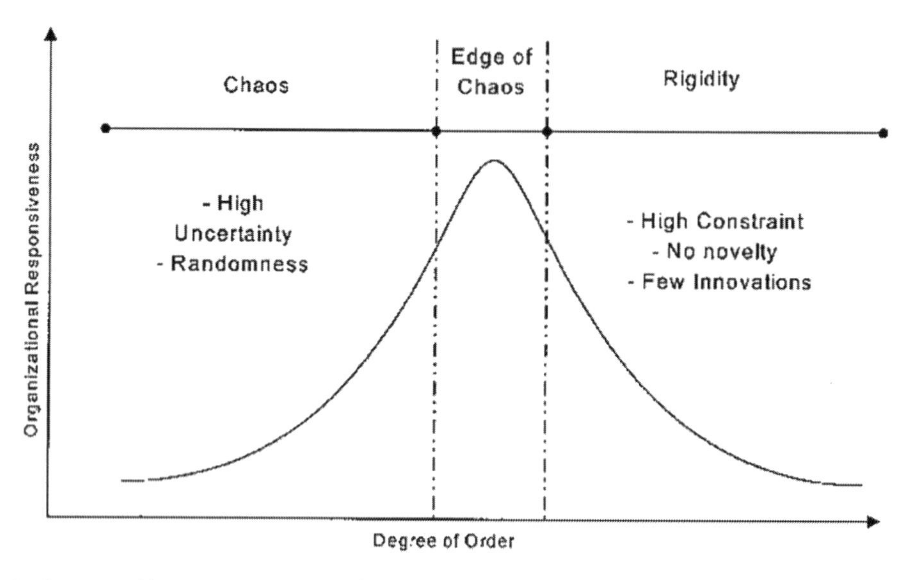

출처:https://www.linkedin.com/pulse/edge-chaos-part-1-seth-barnett/

먼저 고요한 호수를 상상해 보자. 다음은 끊임없이 들이 닥치는 파도를 상상해 보자. 호수처럼 변화가 전혀 없는 단순한 상태와 파도와 같이 변화무쌍한 혼란한 상태의 중간 어느 즈음을 상상해 볼 수 있겠는가?

너무 단순하지도 또는 너무 대책없이 혼란스럽지 않은 그 어느 중간 영역에서 보이는 독특한 질서를 복잡한 상태 complex state로 정의한다.

그 중간 영역을 은유적으로 표현한 것이 혼돈의 가장자리이다. 질서와 무질서가 공존하는 곳인 동시에 평형 상태에서 가장 멀리 떨어진 자리이다. 그 지점에서는 세상을 금방이라도 바꿀 수 있을 것 같은 기대감과 세상을 순식간에 어둠의 세계로 바꿀 수 있을 것 같은 공포감이 상존한다. 그 상태에서는 거대한 자석과 같이 주변의 것들과 동기화 되면서 무섭게 빨아들이는 힘을 가진다. 우리가 기대하는 창의성과 혁신성이 꿈틀거린다. 이 상태를 혼돈의 가장자리에 있다고 말한다.

이러한 혼돈의 가장자리가 지속되는 가운데 공명의 장 resonance field이 형성된다. 공명은 시스템 내부의 한 부분과 다른 부분 사이에서 지속적인 변화가 일어나는 것을 말한다. 하나의 고유한 시스템이 가지고 있는 진동수와 주변 시스템의 진동수가 같아지는 과정에서 에너지를 잘 흡수하기 때문에 일어나는 변화이다.

놀이터에서 그네를 밀어줄 때 그네의 흔들림에 잘 맞춰 밀어줘야 큰 폭으로 그네를 태울 수 있는 것과 같다. 빈 병에 입술을 대고 '후~'하고 불면 '부~'하고 병 속에서 소리가 울리는 현상도 마찬가지이다. 또한 과거 다리가 붕괴되는 사고에도 연결 되는데, 현수교를 스치는 작은 바람들이 가진 진동수와 다리의 고유 진동수와 일치하게 되면서 공기역학적으로 공명현상을 일으켜 붕괴되는 것이다.

어떻게 창의성과 혁신성이 꿈틀거리는 혼돈의 가장자리로 조직을 옮겨갈 수 있을까? 조직 안에서 '누구나 알고 있지만 아무도 얘기하지 않는 것 everybody knows, nobody says'을 과감히 타파해야 한다. 내가 조직 안에서 기존 관행에 거스르는 질문과 행동을 용기내 했을 때 주변 동료들과 조직이 나에게 어떤 위해도 가하지 않을 것이라는 믿음이 있어야 한다. 나의 생각과 의견이 팀 또는 조직의 의사결정에 반영되고 작동 및 실행되는 모습을 보았을 때 구성원들은 더 해보고 싶은 생각이 들것이다. 이러한 과정을 통해서 성취감이 얻어지는 것이고 그 성취감의 종착역은 조직 몰입이다.

<같이 생각해 보면 좋을 질문들>

1. 팀에서 '혼돈의 가장자리'를 경험한 적이 있는가? 어떤 상황에서 질서와 무질서가 공존하고, 창의성과 혁신성이 발휘되었는가?
2. 최근 나를 혼돈의 가장자리로 몰고간 일이 있었는가? 그때 어떠한 일이 생겼는가?
3. 조직에서 나와 공명을 일으킬 좋은 관계를 맺고 있는 사람이 있는가?

4. 작은 시도와 변화가 엄청난 결과를 만드는 非선형성, Non linear

'직무 자신감이 크면 클수록 직무 몰입도 따라서 커질 것이다.'라는 명제를 예로 살펴보자. 인과 관계로만 보면 직무 자신감이 크기 때문에 직무 몰입도 커지는 결과를 초래할 수 있다라고 해석할 수 있다. 하지만 이를 인과 관계가 아닌 순환적 관점에서 본다면 직무 몰입으로 말미암아 직무에 대한 자신감이 더욱 커졌다고도 볼 수 있다.

복잡계 관점에서는 초기 조건의 민감성으로 인해 작은 차이와 변화가 증폭됨으로써 결과값에 큰 영향을 미친다는 것이다. 위의 명제를 다시 살펴보면, 조직이 안정적이고 균형 잡힌 상태에 있다면 직무 자신감이 직무 몰입에 일정한 비율로 영향을 미칠 수 있을 것이다. 하지만 불안정적이고 불균형상태의 가능성이 높은 조직에서는 그렇지 않다. 사소한 문제로 직무 몰입은 어느 순간 뚝 떨어질 수 있고, 생산성 저하라는 후폭풍을 낳을 수 있다.

과거 200여 년간 자연과학과 사회과학을 지배했던 뉴턴의 기계론적 세계관은 선형성 linearity에 기초하여 초기 조건이 결과값에 큰 영향을 주지 못한다고 생각한다. 선형 관계에서 주어진 원인은 하나의 결과만을 갖는다. 선형 방정식은 답이 정해져 있는 것이다. 그러나 非선형관계에서는 사정이 완전히 달라진다. 주어진 원인이나 행동이 다양한 영향을 주거나 이전과 완전히 다른 결과를 초래한다. 非선형 방정식은 복수의 답을 가지고 있거나 정답을 찾을 수 있는 방법이 존재하지 않을 수도 있다.

선형 시스템은 부분의 합이 곧 총합이라는 단순한 속성을 가진다. 선형 시스템은 부분으로 쪼개지며, 다시 그 부분들을 재결합하면 언제든지 전체에 대한 설명이 가능하다라고 본다. 이것이 환원주의적 reductionism관점이다. 이전 사건이 원인이 됨으로써 결과가 나타난다는 관점이다. 환원주의적 관점은 단순한 것이 아름답다는 전제를 가지고 있기 때문에 자유의지는 존재하지 않는다.

그러나 非선형시스템은 'more is different' 라는 말로 부분의 합은 전체 이

상의 효과를 지니고 있다. 전체로서 시스템이 나타내는 일정한 패턴을 이해하려면 전체주의적 holism관점으로 살펴야 한다. 19세기 후반부터 뉴턴적인 사고의 한계성을 인지하는 동시에 선형적 인과 관계로는 설명되지 않는 非선형적이고 非정상적인 현상들이 출현하면서 새로운 패러다임이 등장하게 된다. 기존의 평형, 정상, 선형적인 관계로는 도저히 이해되지 않는 다양한 현상들을 설명하기 위해 등장한 이론이 복잡계 이론이다. 복잡계 이론은 힘과 궤적에 대한 기계론적 관점을 넘어, 변화와 성장 등의 진화 문제를 다룰 수 있는 새로운 시각인 것이다.

광고나 마케팅에서도 더 많은 비용을 들인 제품과 서비스가 더 많은 구매로 연결되지는 않는다. 이러한 선형적 결과는 만들어지지 않는 것이다. 고객들은 단순 정보의 수집을 통해 구매 행동을 하지 않는다. 많은 고려 요인들 사이의 非선형적 상호작용의 메커니즘이 작용하는 것이다. 따라서 고려 요인들 간 상호작용을 촉진할 수 있는 창의적인 매개체가 더욱 중요해졌다.

이러한 복잡계 관점은 시장 상황과 고객을 더욱 중요한 것으로 여기게 만들었다. 제품과 서비스를 둘러싼 환경에 적합한 전략을 수립하여 적응해 나가는 것이 얼마나 중요한지 알게 되었다. 이는 복잡하고 다양한 구성 요인들에게 영향을 줄 수 있는 각 전술들도 잘 구사해야만 원하는 목적을 달성할 수 있다는 생각을 강화시켰다.

조직의 브랜드는 살아있는 유기체이며 시장은 열린 시스템이다. 열린 시스템에서 브랜드는 고유 정체성을 유지하는 것과 동시에 환경에 적응하고 변화할 수 있는 진화 전략을 가지고 있어야 한다. 조직은 이러한 非선형적 관점을 수용함으로서 전략을 수립하고 자원과 구조를 재조정하고 지원하는 경영 활동 과정에서 현실적인 적합성을 확보할 수 있다.

노벨 화학상 수상자인 프리고진 Prigogine은 99도씨 물에서 100도씨 기체로 완전히 다른 상태로 변화하는 것에 관심을 가졌다. 물이라는 초기의 평형상태에서 멀리 떨어진 非평형상태가 될수록 큰 변화가 일어난다. 非평형상태에서 부정과 긍정 피드백이 무작위로 작동하기 때문에 안정성과 불안정성을 동시에 가지고 있다. 이러한 질서와 무질서가 혼재되어 있기 때문에 또 다른 차원의 변화가 만들어 진다.

非선형 시스템의 주변 환경에서는 많은 에너지와 정보를 강하게 흡수하는 동시에 불필요한 에너지와 정보를 배출하기도 한다. 이 개념을 소산 구조 dissipative structure라고 하는데, 소산 구조는 다음의 몇 가지 특징을 갖는다.

출처: https://post.naver.com/viewer/postView.naver?volumeNo=27309602&memberNo=28143450

첫째, 유지하고 있었던 기존 모양과 형태를 탈피하기 위해 자율적 요동을 증폭시킨다.이때 긍정적 피드백 고리를 통해 증폭된다. 그 결과 자기와 유사한 닮은꼴 형태를 지닌 패턴을 보인다.

둘째, 임계점 critical point을 가진다. 시스템은 점점 가해지는 작은 변화로 인해서 질적으로 완전히 새로운 변화를 겪는다. 이 것을 과도하게 민감한 상태라고 한다. 임계점의 개념은 기계론적 및 선형적 패러다임으로는 이해하기 어려웠던 급격한 변화, 소위 격변을 설명하는데 도움을 준다. 점진적으로 조금씩 진화가 이루어진다는 기존의 생각과는 달리, 비교적 긴 기간의 안정기와 아주 짧은 기간의 급격한 변화인 단속적 평형 punctuated equilibrium을 통해 격변을 만든다는 이론이 제시되었다. 그 후 非선형적

과정과 관련된 이론들을 더욱 정교하게 만들었다.

풍선 속 공기 분자들은 혼란 그 자체인 상태지만 실제로 그 안에서는 특별한 일이 일어나지 않는다. 즉 격변은 없는 상태이다. 작은 원인의 영향으로 기존 분자들의 위치가 달라질 수 는 있지만, 왜 작은 원인이 격변을 일으키는지를 명쾌하게 설명하기 위해서는 복잡계에 대한 이해가 필요하다. 복잡계는 안정적인 질서로 출발해서 혼란 상태를 통해 새로운 질서를 만드는 살아있는 시스템이다. 이러한 창발의 과정이 만들어 지면서 결정적인 순간을 지나게 되는데 이 시점을 임계점이라고 한다. 시스템이 임계점에 가까워 질수록 혼란의 상태를 보이다가 임계점의 문턱을 넘으면서부터 새로운 질서를 보이는 시스템으로 성장, 진화하는 것이다. 임계점를 넘으면서 겪게 되는 큰 변화, 격변은 지금 우리의 경영환경을 잘 표현해주는 은유이다.
외부에서 일부러 조작하거나 통제하지 않더라고 시스템 내부의 자기조절 과정을 통해 변화하는데 이를 자기조직화된 임계점 self-organization criticality이라고 한다. 이러한 복잡계 상의 자기조직화된 임계 현상은 자발적인 이동을 통해 갑작스럽게 나타나는데 이러한 이동은 질서와 무질서 사이 경계인 혼돈의 가장자리에서 볼 수 있다.

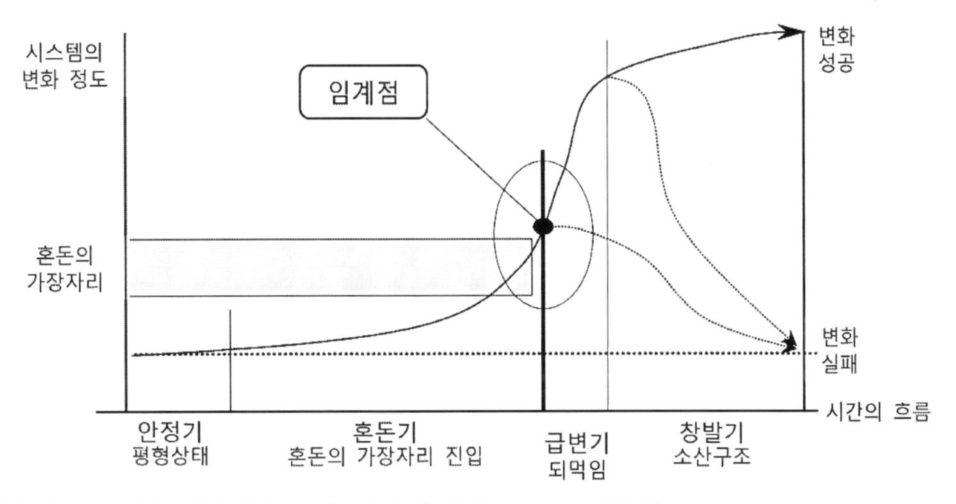

*출처 : 윤영수 채승병(2005) 복잡계 개론 p.183 재구성

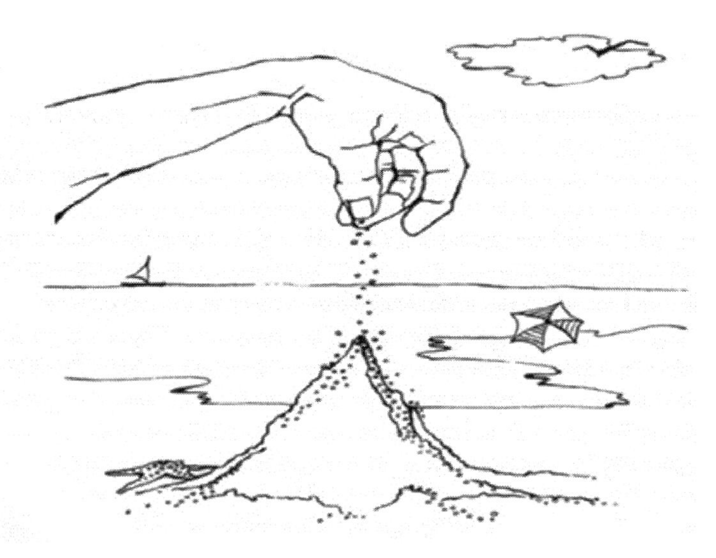

해변가에서 모래성을 쌓고 있다. 모래가 얹어질 때마다 탑의 높이는 증가하지만 임계점에 도달한 모래성은 마지막 한 알의 모래로 인해 붕괴된다. 복잡계 이론에서는 이러한 붕괴, 임계 현상에 주목한다. 붕괴를 일으킨 마지막 한 알의 모래는 시스템의 속성을 한 순간 바꿔놓았다. 이러한 관점은 마지막 한 알의 모래가 미치는 영향이 그렇게 커지기까지 모래성 내부에 축적된 역동성에 관심을 가진다. 시스템의 히스토리 즉, 역사는 중요하지만 새로운 역사는 만들 수 없다. 날씨 상황, 주식 시장, 환율 변동 등을 누구도 제대로 예측할 수 없는 것과 같다.

조직 변화와 혁신의 과정은 크게 안정 상태와 불안정 상태, 그리고 새로운 안정상태가 순환되는 非선형적 상태로 구분된다. 구성원들이 조직의 변화활동에 보이는 반응 행동, 가치와 태도의 변화, 혁신 프로그램 성과의 변화 및 조직의 구조 변화 등이 밀접한 관련성을 맺으며 동시에 움직이기 때문이다.

이처럼 복잡계 이론은 복잡하고 非선형적인 조직 현실을 있는 그대로 직시하여 문제를 해석하고 해결 한다는 점에서 큰 시사점을 준다. 앞으로 경영진과 리더들은 이러한 非선형적 관점을 체화함으로써 혼돈의 현상을 본질

그대로 받아들이고 맥락에 맞는 유연한 해결책을 제시할 수 있어야 한다. 그 해결책의 실마리를 복잡계로부터 찾아볼 수 있다.

<같이 생각해 보면 좋을 질문들>

1. 나의 주요 업무 또는 과제를 선형적인 시각에서 볼 때와 복잡계 이론을 적용한 비선형적 시각에서 볼 때의 차이점은 무엇인가?
2. 임계점을 인식해본 경험이 있는가? 어느 시점을 지나서 큰 변화와 성장을 경험해 본 적이 있는가?
3. 조직에서의 큰 변화를 경험해 본 적 있는가? 그 때 '마지막 한 알의 모래'는 무엇이라고 생각되는가?
4. 경영진 또는 리더들이 비선형 관점을 수용할 수 있는 방법은 무엇일까?

5. 정보와 지식이 넘실거리는, 피드백 고리 feedback loop

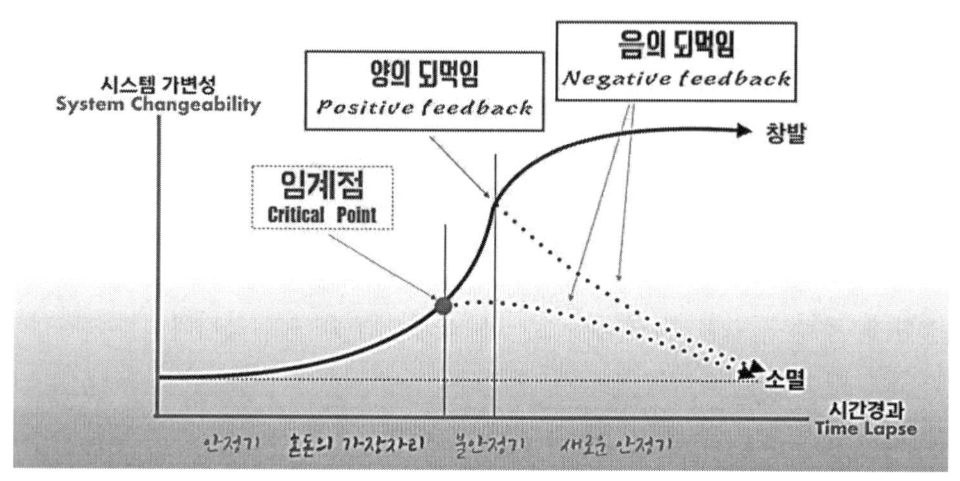

출처: THE성장포럼 잠복기와 절벽곡선, 혼돈의 가장자리로 가라_디지털 시대의 원칙 중

복잡계 非선형 시스템은 부정적 피드백 고리와 긍정적 피드백 고리를 동시에 만든다. 시장 경제를 포함하여 인간 사회의 상호작용으로 생겨난 非선형성은 부정적 피드백과 긍정적 피드백 효과로 나타난 것이다.

예를 들어, 에어컨 시스템은 부정적 피드백 고리의 방식으로 통제된다. 적정 온도를 설정해 놓으면 센서는 실내의 실제 온도를 측정하여 적정 온도와의 차이를 대조하게 된다. 만일 온도가 너무 높으면 시스템을 작동시킴으로써 그 온도의 차이만큼 시스템이 가동되면서 온도를 낮추게 된다. 현재 상태와 의도한 상태 사이의 차이를 최소화 하기 위해 취한 행동이다. 호수에 돌 하나를 던져보면 처음에는 물결 퍼짐 현상을 보이다가 이내 그 돌을 꿀꺽 삼킨 듯 호수는 다시 고요해 지는 것도 같은 현상이다.

긍정적 피드백 고리는 위의 부정적 피드백 고리와 반대이다. 현재 상태와 의도한 상태 간의 간격을 오히려 넓히는 것이다. 새로운 질서와 패턴을 보이는 것에는 이러한 긍정적 피드백 고리가 작동한 것이다. 시스템을 구성하고 있는 요인들의 상호작용이 이러한 힘을 더욱 강하게 한다. 예를 들어, 어느 날 이슈가 된 유튜브 영상 조회수 증가 추이를 보면 어느 순간 급속하게 증가된 것을 확인할 수 있다.
부정적 피드백은 안정을 지향하는 반면에, 긍정적 피드백은 투입되는 요소가 늘어날수록 산출되는 양이 기하급수적으로 증가하는 현상인 수확체증의 법칙 increasing returns을 따른다. 조직에서도 수확체증의 법칙에 따른 긍정적 피드백 현상을 많이 목격할 수 있다. 안일한 고객 대처로 소비자들의 불만이 폭증하는 상태가 그렇다. 작고 사소해 보일지 모르지만 담당자의 非윤리적인 업무 처리 하나가 조직에게 엄청난 후폭풍을 남긴다.

긍정적 피드백은 시스템의 변화를 만들고, 부정적 피드백은 시스템의 안정을 유지하게 된다. 전통적인 경제 이론은 부정적 피드백 존재를 암묵적인 가정으로 삼는다. 한계 수익 체감 및 예측이 가능한 균형이 잡힌 상태로 보고 있는 것이다. 반면 긍정적 피드백은 다양성을 만들어 낸다. 긍정적 피드백은 목표 하는 것과 실제 사이의 간극을 좁히기 보다는 점진적으로 확대해 나간다. 작은 교란이나 충돌 효과를 증폭시킨다. 새로운 기술, 새로운 표준이 생기면 새롭게 그것에 맞게 시스템이 운영 방식을 변화시키는 것이다. 이러한 변화 경향은 점차 성숙 단계로 접어들면서 사라진다. 이처럼 양의 피드백과 음의 피드백은 상호작용하면서 시스템의 변화를 만들기도 하고 시스템의 안정감을 찾게 한다.

어느 한 쪽 힘만 비대해지면 조직은 안정적으로 보이기는 하나 긍정적인 변화는 만들지 못하는 죽어가는 시스템이 된다. 리더와 구성원 간 피드백을 예로 들어 보자. 리더의 지나친 부정적 피드백은 구성원의 생각과 질문이 다른 구성원들에게 공유되는 것을 막는다. 다른 구성원들에게 줄 수 있는 긍정적 피드백 가능성의 기회와 가능성을 잃게 된다. 반면 리더의 긍정적 피드백은 변화와 성장을 위해 작동된다. 긍정적 피드백은 작은 변화를 증폭시키기 때문에 피드백은 긍정적이면서도 풍부해야 한다. 피드백은 단순 정보의 교환이 아닌 성장을 돕는 자양분이 되는 것이기 때문이다.

그래서 조직에서 필수적으로 다루어져야 하는 것이 소통이다. 소통은 넓은 의미에서 상대와 맥락을 더 잘 이해하기 위한 학습과정 및 수단으로서 유용하다. 복잡계에서 소통은 네트워크를 형성하는 요인들 간의 활발한 상호교류와 상호작용을 촉진함으로써 한 차원 진화하게 만드는 창발을 만든다. 침묵에서도 가장 위험한 침묵이 있는데 바로, 의도적 침묵이다. 구성원들이 의도적으로 자신의 입을 닫는 순간 조직의 변화와 혁신도 닫힌다. 수평적 문화와 유연한 조직에 가까운 복잡계는 일부분에서는 보이지 않았던 질서가 전체적 시각에서 바라보면 질서가 비로서 보이는 자기조직화를 통해 찬 차원 높은 질서를 만들어 낸다.
리더는 실천의 삶을 살아내는 역할 모델 role model을 해야 한다. 이를 통해 구성원들과 팀은 탐구 공동체로서 역할을 수행할 수 있다. 추구하고자 하는 변화 속에는 충돌, 갈등, 경쟁 및 이탈 등이 있을 수 밖에 없다. 따라서 조직은 다양성을 슬기롭게 다루고, 피드백을 나눌 수 있어야 한다.

최근 우리가 느끼는 주요 감정은 불안이지 사실 분노는 아니다. 불안에는 투명한 정보 공유가 중요하다. 정보 공유를 통해 사람들은 규칙을 준수하는데 긍정적 에너지를 더욱 쏟는 것이다. 음모와 가짜 뉴스에 사람들이 화를 내는 이유도 여기에 있다. 지금과 같은 위기에는 더욱 강력한 전방위 소통이 필요하다. 특정 구성원, 팀이 감지한 위기와 기회를 언제든지 조직 차원으로 공유할 수 있어야 한다. 지체 또는 은폐는 조직에 치명적일 수 있다. 짧은 시간에 같은 방향으로 신속하고 기민하게 움직이는 것이 중요한 경영 환경에서 소통은 기본 중에 기본이다.

<같이 생각해 보면 좋을 질문들>

1. 긍정적 피드백과 부정적 피드백은 조직 안정과 혁신에 어떤 영향을 미칠 수 있을까?
2. 어떻게 긍정적 피드백과 부정적 피드백을 조직 목표에 맞게 조절할 수

있을까?

3. 내 주변에서 ‘수확체증의 법칙’을 발견한 경험이 있는가?

4. 어떻게 의도적 침묵을 방지하고 정보 공유를 촉진할 수 있을까?

5. ‘탐구 공동체’ 개념을 고려할 때, 어떻게 리더와 구성원들은 변화를 위해 함께 탐구하고 혁신을 촉진할 수 있을까?

6. 조직은 어떻게 정보 공유와 열린 대화를 장려할 수 있을까?

6. 변화 속 일관성을 찾는 과정, 프랙탈 fractal

겨울 아침 창문에 아름답게 수놓은 얼음 결정체들을 본적이 있을 것이다. 우뇌를 가동하여 생각해보면 예술작품 같기도 하고, 좌뇌를 작동시켜 생각해보면 어떤 원리로 형성되었는지 궁금하다.
복잡계의 매력은 복잡미묘한 결과와 현상 속 숨어있는 질서를 찾아가는 것이어서, 자연현상을 더 깊게 알아가는 과정과도 같다.

따뜻한 물이 들어있는 컵 속에 소금 몇 알을 넣고 휘저어 보자. 소금은 이내 녹아 버린다. 소금의 원자들은 서로 단단히 뭉쳐 있었음에도 불구하고 물 분자들이 원자들을 무장해제 시키는 것이다. 물의 온도가 높을수록 무장해제를 더욱 쉽게 만든다. 소금 결정체가 하나도 남아있지 않은 상태를 평형 상태라 볼 수 있다. 이제 소금이 녹아있는 물컵을 냉동실에 넣는다. 놀랍게도 낮은 온도 때문에 소금은 컵 속에서 결정으로 다시 자라난다. 소금을 구성하고 있는 염소 원자와 나트륨 원자가 서로 다시 연합하면서 다이아몬드처럼 완벽하고 규칙적인 형태를 만들어내는 것이다.
온도를 더욱 낮춰본다. 흥미로운 일이 벌어지는데, 소금 속 원자들이 달라붙는 속도와 힘이 물 속 분자들이 달라붙는 속도와 힘보다 훨씬 커지게 되면서 결정이 非평형 상태에서 자라난다. 이로 인해, 결정이 규칙적이지 않고 복잡한 형태를 만드는 것이다.

하늘에 떠있는 구름을 떠올려 보자. 동그란 구도 아니고 각진 사각형도 아니다. 구름은 둥글둥글하면서도 불규칙하다. 산 모양 역시 삼각형도 아니고 그렇다고 원뿔도 아니다. 기존 언어로는 표현이 불충분하다. 기하학은 아리스토텔레스의 연역적 논리 체계에 대한 공식과 수학 증명법을 기본으로 한다. 반면 프랙탈은 만델브로 Mandelbrot가 개념화한 기하학으로 수학에서 유래되었지만, 경험적 관찰을 통해 이론화된 분야라고 할 수 있다. 프랙탈 기하학은 기존 기하학에서는 다루어지지 않았던 복잡한 자기유사성 self-similarity을 가진 자연 속 형태를 연구하는 학문이다. 프랙탈의 자기유사성이란 어떤 일부를 확대하고 축소해 보더라도 전체 모습과 부분의 모습이 유사하다는 것이다. 여기서 유사성은 단순 모양의 같음을 얘기하는 것이 아니라 통계적 특성의 같음을 포함한다. 자연에는 자기유사성의 특징들이 많다. 고사리 잎을보면 처음 생긴 고사리 잎과 나중에 생긴 고사리 잎들은 서로 닮아있다. 자기유사성을 유지하는 동시에 자기 복제를 하고 있다. 멀리서 본 고사리 전체의 모습은 고사리 잎 하나하나의 모습과 또 닮아있다.

프랙탈은 전체와 부분에서 각각 유사한 패턴들이 역동적인 과정을 통해 진화하면서 나타난다. 주름을 접고 펼치는 역동적 운동으로 자기 분할과 축적을 반복하면서 새로운 구조와 패턴을 만든다. 프랙탈은 시스템 안에서 만들어지는 역동성을 보여준다는 점에서 시스템 구조와 구성 요인들이 어떤 연관성을 가지고 있는지를 확인할 수 있는 실마리를 제공한다.

자연과 사회 현상에는 질서와 무질서가 공존한다. 느닷없는 천둥과 소나기는 우리를 멘붕에 빠져들게 한다. 고속도로에서의 사고 하나는 극심한 정체를 일으킨다. 무질서가 모두 해로운 것은 아니다. 반복되는 일상과 항상 같은 결과가 예상되는 것들에 엄청난 따분함을 느낀다. 직장인 대부분이 평일의 단조로움과 규칙적인 상황에 있었기에 주말의 다양한 활동에 더 큰 가치와 행복을 느끼는 것이다.

조직 경영에서도 적용된다.

정해진 장소에서 정해진 시간에 정해진 업무만을 열심히 많이 하면 인정받았던 조직은 옆은 가급적 쳐다보지 말고 눈 앞의 일에만 집중해 달라고 요구했다. 하지만 불확실성과 복잡성이 증가하고 있는 지금 상황에서 조직은 구성원들 스스로 환경 변화에 잘 적응해 주기를 기대한다. 불확실성과 복잡성 속에 숨어있는 거대한 질서를 찾아내는 것이 경영진과 리더들의 가장 중요한 역량이 되었다.

집단지성 collective intelligence과 크라우드 소싱 cloud sourcing은 소수보다는 다수가 만들어내는 힘을 믿는다. 다수의 참여를 통해 결정되는 파레토 법칙 pareto's law의 철학을 믿고 있다.

하지만 프랙탈은 파레토 법칙이 아닌 롱테일 법칙 long tail's law를 따른다. 프랙탈 정신은 롱테일 법칙에 기반하여 미미해 보이는 개인들이 상호 교환, 협력과 경쟁 등의 상호작용을 통해 전혀 새로운 결과물을 만드는 과정에 집중한다.

프랙탈은 우연한 공간에서 시작되는 특성이 있다. 거리가 멀게만 보였던 공간들 사이에서 새로운 공간을 창출하는 것이다. 예를 들어, 맛과 건강이라는 양립하기 어려운 것들 사이에서 '건강한 맛'을 만드는 것과 같다. 단순계의 논리와 복잡계의 논리를 혼합하여 현실적으로 가장 유용한 전략으로 승화시킨 것을 말한다.

이렇게 형성된 공간의 경계를 정의하고 정체성을 부여하는 것이 중요하다. 정체성에 대해 각자 필요한 부분을 선택하게 한다. 이렇게 정체성에 도움이 되는 상호작용을 통해 정체성을 갖춘 경계는 더욱 명확해진다. 정체성과 일관성을 갖춘 경계는 상호작용과 긍정적 피드백 고리를 통해 확대 재생산된다.

프랙탈은 고정된 실체를 의미하기 보다는 끊임없이 변화하는 동태적 원리나 태도를 의미한다. 그렇기 때문에 우리가 직면한 경영 환경과 잘 맞는다. 프랙탈은 이렇게 복잡하고 무질서하게 보이는 자연, 사회 및 경영 현상 속에서 고유한 패턴과 특정한 질서를 밝히는 개념이다. 질서와 무질서의 경계에서 발견되는 의미와 가치에 주목할 필요가 있다. 그 의미와 가치는 맥락에 따라 끊임없이 변화하기 때문이다. 이렇게 우리 조직만의 새로운 공간(시장)을 창출하고, 새로운 질서(정체성)를 구축하기 위한 경영진과 리더들의 역할이 절실한 이유이다.

프랙탈에서 얻을 수 있는 흥미로운 교훈 하나는 예측보다는 재현 가능성을 높일 수 있다는 것이다. 위기의 시대라고 한다. 하지만 이미 위기라는 말로는 설명이 부족한 시대이다. 이미 격동의 시대를 지나 위기의 시대를 거쳐 새로운 질서를 형성하고 있는 복잡성 시대에 살고 있다는 것이 적절하다. 프랙탈 기반 전략은 변화 속 일관성을 찾는 과정이다. 복잡하고 혼란스러워 보이는 현상일지라도 패턴을 찾을 수 있는 전략적 통찰이기 때문이다.

프랙탈은 발명보다는 발견에 가깝다. 이미 존재하고 있는 자원들(나물들)을 새롭게 융합하면서 새로운 모습(비빔밥)을 선보이는 것이다. 또한 날것의 질서와 썩히는 무질서 사이를 즐기는 홍어의 맛과 같은 차원이다. 삭힘과 숙성의 과정은 적절한 시간 동안 프랙탈의 축적이 되도록 적합한 환경을 조성하는 것이다.

저자는 자신만의 정체성을 가지고 동료들과 공진화 하면서 좋은 일터를 만들고자 노력하고 있는 구성원들을 '조직 속 비밀 결사대' 라는 칭호를 주고 싶다. 생각과 뜻을 같이 하는 사람들이 조금씩 그 생각과 행동을 모으면 하나의 바람직한 결정체를 형성한다. 그 결정체들은 프랙탈의 모습을 하고 구성원들의 마음을 사로잡으면서 스며들게 된다.

현명한 사람은 조직 꼭대기에 홀로 올라서서 소리만 지르지 않는다.

주변 동료들과 함께 바람직한 미래를 조용히 구축해 나갈 줄 안다.

<같이 생각해 보면 좋을 질문들>

1. 프랙탈의 자기유사성은 무엇이며? 자기유사성 특징을 가지고 있는 것들을 더 찾아보자.

2. 조직 안에서 프랙탈과 같은 새로운 패턴과 질서가 느껴진 적이 있는가?
3. 프랙탈 기반 전략을 통해 패턴과 일관성을 찾고자 했던 경험이 있는가?
4. 나 자신은 누구와 '비밀 결사대'를 만들어 볼 수 있을까?

7. 변화와 혁신의 여정, 자기조직화 self-organization

얼음은 열 받으면 물을 만들어내고 물은 열 받으면 김을 만들어낸다.
물에 열을 가하면 완전히 새로운 형태인 수증기로 자기조직화한다. 자기조직화는 유기체가 계속 불안정한 상태에 놓여있다가 어느 결정적인 순간을 만나면서 새로운 형태를 보이는 것이다. 결정적 순간은 선택의 기로를 말하는데 이를 분기점 bifurcation point이라 한다.

자기조직화는 시스템 내부의 非평형 상태에서 자발적인 질서가 등장하는 과정이다. 非평형 상태의 구조는 끊임없이 요동치면서 임계점에 다다르면 새로운 구조가 보이는데 이를 바로 '소산 구조'라고 한다. 소산 구조가 非평형 상태에서 형성된다는 점에서 자기조직화는 질서와 무질서 상태의 중간 영역인 혼돈의 가장자리에서 가장 잘 일어난다.

자기조직화는 시스템 내부의 非평형 상태에서 자발적인 상향식 질서가 등장하는 과정이다. 기존의 하향식 관료주의 성격이 강했던 조직에 시사하는 바가 크다. 위에서부터 시작하는 수직적 상하 관계는 현장의 중간 관리자와 일반 구성원들의 영향력을 약화시켰다. 복잡계 이론은 개별 구성원에서 시작되는 자발적인 질서 창출의 과정을 중요하게 생각한다. 직접 고객과 소통하고 관계를 맺는 현장을 중요하게 생각한다. 구성원들을 관리의 대상이 아닌 끊임없이 세상과 적응해 나가는 주체자로 여기기 때문이다. 조직의 변화와 혁신 과정을 살펴보더라도 중요한 역할자들은 구성원이다.
변화 이전의 상태를 고수하는 혁신 반대 세력과 혁신을 위해 지속적인 적응행위를 하는 혁신 주도 세력 간의 긴장과 갈등은 오히려 참여를 이끌어낸다. 또한 혁신의 완성도를 높일 수 있는 기폭제가 된다.

복잡계인 조직은 외부의 도움 없이도 환경의 변화를 예견하고 적응함으로써 새롭고 고차원적인 질서를 만들어 간다. 안정기, 혼돈기 및 급변기를 거쳐 또 새로운 안정기로 접어드는 자기조직화 과정은 조직 혁신 방법 제안과 기획에 필요한 좋은 지침이 된다.

또한 자기조직화는 개방 시스템을 유지하고 조직 내·외의 원활한 피드백 순환을 중요하게 여긴다. 상향식 의사결정 구조를 통해 구성원들 간 상호작용을 촉진하는 환경의 중요성을 시사한다. 자기조직화 개념은 脫중앙집권적이며 분산된 구조를 지닌 거버넌스 경영 governance management이다. 거버넌스는 폐쇄적 조직 운영과 급변하는 시대에 대한 대응 부족 등의 문제로 생긴 것이다. 조정, 연결, 협력을 통한 새로운 조직 운영의 요구에 따라 나타난 것이 거버넌스다. 거버넌스가 잘 작동되기 위해서는 협력을 위한 논의 절차, 문제 해결을 위한 공통 명분, 이해관계자의 참여를 이끌 수 있는 새롭게 일하는 방식이 필요하다.

자기조직화는 구성원들이 발생하는 문제를 자발적으로 해결해 나가는 과정과 닮아 있다. 이는 다양성과 연결성을 갖춘 시스템이 소통과 피드백 경영으로 진화하는 것이다. 자기조직화는 축적된 자료와 정보를 바탕으로 공동의 목표 달성을 위한 자기 조정 self-adjustment을 통해 가능하다. 또한 시스템 내 다양성은 환경 변화 적응력을 확보하는 중요한 수단이 된다. 시스템 자체가 가지고 있는 다양성이 시스템 외부의 것보다 크고 넓을 때 변화로 인해 발생하는 긴장과 갈등을 포용할 수 있다. 따라서 다양성 확보 차원에서, 소통과 정보 공유의 중요성은 강조될 수 밖에 없다.

자기조직화는 일종의 사회적 조정 social coordination이 일어나는 과정이다. 다양한 구성원들 간의 상호작용을 통해 공통의 문제를 해결하는 연결성을 의미한다. 연결성은 공식적인 법규나 강제적 제재에 의존하지 않고 신뢰, 상호의존성 및 호혜성에 근거한다. 연결성은 자발적 협력과 이해관계자들의 조정을 통해 더욱 강화된다. 자기조직화는 자율과 피드백을 통해 자연스럽게 형성되고 발전하고 변형됨을 설명한다. 우리가 기대하는 조직의 미래는 구성원들 간의 신뢰와 긴장이라는 상호작용을 통해 첫 단추가 꿰어진다. 구성원들은 상호작용하면서 같음과 다름을 조화와 갈등으로 표출한다. 서로 유사하면서도 차이가 나는 구성원들 간 관계를 통해 자기 정체성 selfidentity를 확인하는 과정으로 연결시킨다. 자기 정체성 인식은 자신의 새로운 모습을 조직에서 추구하고자 하는 노력과 행동으로 연결된다.

<같이 생각해 보면 좋을 질문들>

1. '자기조직화' 원리가 조직 내 변화와 혁신에 어떻게 적용될 수 있을까?
2. 선택의 기로에 있는 결정적 순간인 '분기점'을 어떻게 발견하고 활용할 수 있을까?
3. 혁신 반대 세력과 혁신 주도 세력 간 갈등과 긴장이 어떻게 혁신을 이끌어 내는가?
4. 우리 조직은 거버넌스 경영을 위해 구체적으로 어떤 절차와 방법을 사용하고 있는가?
5. 시스템 속 다양성은 어떻게 환경 변화 적응력을 확보할 수 있는 중요한 수단이 되는가?
6. 구성원들 간의 상호작용으로 표출되는 조화와 갈등은 자신의 정체성을 확인하는데 어떤 도움을 줄 수 있나?

8. 새로운 질서의 종착역, 창발 emergence

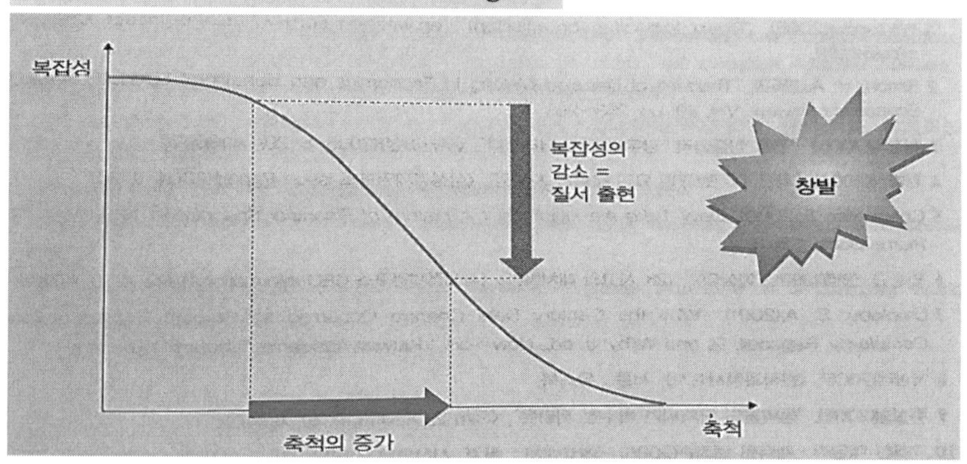

출처: 윤영수·채승병 <복잡계 개론> 삼성경제연구소(2005)

창발은 구성 요인들 간 상호작용의 결과로 개별 구성 요인의 특성과는 전혀 다른 모습으로 출현하는 새로운 질서이다. 창발은 지금까지 존재하지 않았던 새로운 것의 출현 과정에 초점을 맞춘다. 지속적으로 관계가 새롭게 형성되면서 시스템이 다양하고, 풍부해지고, 한편으로 복잡해 지는 과정이다. 창발은 자기조직화라는 것이 강제되거나 통제될 수 없는 것이기 때문에 조직 또한 시스템을 구성하고 있는 요인들 간 상호작용에 의해 형성되는 것으로 본다. 즉 고유의 규칙에 기반하여 움직이는 각 요인들은 상호작용을 하면서 하나의 시스템을 만드는데, 이를 혼돈의 질서 order of chaos 또는 창발적 특질이라고 한다.

창발은 일정한 부분 안에서의 상호작용으로 나타나는 거시적이고 총체적인 수준의 안정적 패턴이다. 창발은 어느 한 부분 또는 단지 전체를 보고 세상을 설명하고자 하는 환원주의 세계관을 거부하고 상향식 상호작용을 강조하는 전일주의 세계관을 받아들인다.

그렇다면 창발이 가지고 있는 안정적 패턴은 어떻게 생겨나는 것일까? 개인은 주변 환경과 다른 구성원들의 행동과 비교했을 때 효과적으로 보이는 행동은 다시 반복하는 경향이 있다. 이러한 반복은 제도화 또는 정형화 된다. 우리가 관찰할 수 있는 기업, 시장, 정부 조직 등의 제도는 모두 이러한 패턴화된 행동 규칙의 시스템이다. 구성원은 제한된 합리성을 기반으로 행동을 최적화하기 보다는, 자신들이 선택한 루틴에 따라 행동을 결정하며 구성원들이 따르는 규칙은 암묵적 지식을 담고 있어서 조직 역량의 요소가 된다.

구성원들이 가지고 있는 다양한 배경 지식인 스키마 schema는 창의적이고 유연한 아이디어를 창출하는데 도움을 준다. 참여적 의사결정 시스템을 통해 여유와 유연함을 확보하는 것이 중요한 이유이다. 새로운 질서인 창발을 위해 개방된 시스템을 유지하고 이해관계자들의 참여와 상호작용을 확보하는 것이 필요하다.

조직 내 구성원들은 지속적으로 자신들의 처지와 상황을 개선하려는 노력을 한다. 이러한 적응 노력은 적합한 공간을 만들어 내는데, 이것이 적소 niche의 개념이다. 적소는 새로운 가능성의 탐색 결과이다. 구성원들의 적소를 향한 에너지가 조직을 기존 균형 상태에서 더욱 멀리 떨어지게 만든다. 그 안에서 개인들은 다양한 방식으로 상호작용함으로써 나름의 패턴을 보인다. 이렇게 생긴 나름의 패턴들이 우리 조직에 적절한 변화와 혁신을 만드는 기반이 된다.

창발은 '많으면 달라진다 more is different'라는 사상을 가지고 상향식 의사결정을 중요시한다는 점에서 관리자와 리더들에게 시사점을 준다. 구성원들간 활발한 상호작용은 조직 내 새로운 질서가 창발될 가능성을 높인다. 구성원의 다양성을 확보하고 상호작용을 촉진하고 지원하는 리더의 역할이 어느 때보다 중요하다.

<같이 생각해 보면 좋을 질문들>

1. 창발'의 핵심 특징은 무엇이고, 창발이 보이는 안정적 패턴은 어떻게 조

직 내에서 형성되고 유지될 수 있을까?
2. 개인이 가지고 있는 스키마는 어떻게 창의성과 유연성을 촉진할 수 있을까? 이러한 스키마를 조직에서 공유할 수 있을까?
3. '적소'개념을 조직 변화와 혁신에 어떻게 적용할 수 있을까? 구성원들이 자신의 적소를 찾고 확장하면 어떤 조직에 어떤 결과를 가져올까?
4. 경영진과 리더는 창발적 질서를 조직에서 어떻게 촉진하고 지원할 수 있을까?

9. 세상과 함께 진화하는 공진화 co-evolution

공진화 co-evolution는 생태계 ecosystem의 관점에서 시스템들이 서로의 변화에 적응해가며 함께 진화하는 것을 의미한다. 공진화는 부분이 전체를 진화시키고 전체가 부분을 진화시키는 상호 의존적이고 상호호혜적인 진화 과정을 말한다.

따라서, 기존 적자생존의 진격이 아니라 새로운 공존 방식의 진화이다. 적자생존 방식에 따라 선택되는 기존 논리에서 벗어나, 높은 수준의 시스템이 낮은 수준의 시스템을 진화시키는 동시에 낮아 보이는 시스템도 높은 시스템을 진화시키는 데 기여한다는 것이다.

복잡계는 다양한 요인들로 구성되기 때문에, 하나의 요인이 추구하는 전략은 다른 요인들에게 영향을 끼친다. 한 요인이 자신에게 유리한 방식으로 진화함에 따라 다른 요인 역시 필요한 조정을 한다. 결국 처음 요인이 향후 취하게 될 적응적 진화에 또 영향을 미치게 된다. 공진화는 사회, 문화 및 경제적 차원의 시스템 속 모든 관계 변화를 포함하고 있다. 변화는 구별되는 환경 또는 하나의 시스템에서만 보이는 현상이 아니기 때문에 연결된 시스템과의 공진화 관점에서 살펴야 한다.

공진화는 시간 개념을 적용하여 '단기적 적응'과 '장기적 공진화'로 구분할 수 있다.

예를 들어 새 신발을 구입 후 바로 신었을 때 어색함을 느꼈을 것이다. 내 발과 신발 간에 단기적 적응을 하는 과정이다. 시간이 흘러 처음의 어색함은 어느순간 사라지게 된다. 바로 거시적 수준에서 편안함이 느껴지는 장기적 공진화이다.

공진화는 공간 개념을 적용하여 '내적 공진화'와 '외적 공진화'로도 구분할 수 있다.

내적 공진화는 조직 내 구성원들과 구성원들 그룹 간에 발생하는 공진화를 말한다. 내적 공진화는 조직 안에서 발생하는 행동과 의사결정들이 조직에 영향을 준다는 것이다. 따라서 자율성뿐만이 아니라 책임감도 그만큼 요구받는다. 하나의 시스템이 다른 시스템의 영향을 받으면 그 영향에 적합한 개인, 조직 및 제도 등에도 변화를 만들기 때문에 책임감이 커지게 된다. 반면 외적 공진화는 조직을 둘러싼 외부 환경과 맥락에 초점을 맞춰 생태 시스템과 상호작용하는 것을 말한다.

조직도 경쟁 상황에서 자신에게 최선의 선택이라고 한 것이 구성원들이나 조직에게 피해를 주는 경우가 많다. 공진화적 관점에서 보았을 때 단기적 적응을 위한 최선의 선택이었다고 변명을 하는 것과 다름없다.

공진화 원리는 조직과 조직, 조직과 시장, 조직과 소비자 간 관계를 이해하는 데도 유용하다. 예를 들어, 전기 자동차로의 진화는 기존 자동차 내부 장치와 시스템 변화에 따라 자동차 산업 전반에 영향을 준다. 또한 전기 충전소 탄생으로 연결되어 새로운 공간 설계까지도 바꾸었다. 또 다시 이러한 변화는 전기 자동차 발전에 영향을 주고 있다.

이처럼 공진화는 경영의 목표가 적자생존의 경쟁 논리에만 있는 것이 아니라, 공존과 공생의 관점으로 전환되어야 한다는 것을 시사한다. 경영진과 리더들은 조직 목표 달성을 지원하기 위한 변화를 감지하고 구성원들의 공진화 과정을 촉진하는 방법, 제도 및 규칙을 만들어야 한다. 구성원들이 각자의 적응적 탐색 과정을 공유할 수 있는 소통의 장을 마련하거나 함께 학습하고 협력하는 조직 학습 과정을 지원하는 방안을 구체적으로 모색할 필요가 있다.

<같이 생각해 보면 좋을 질문들>

1. 공진화는 왜 적자생존 논리가 아닌, 공존과 공생으로의 관점 전환을 시사하고 있는가?

1. 나 자신이 세상과 같이 변화하고 느꼈던 경험이 있는가?

2. 단기적 적응이 아닌 장기적 공진화를 경험하거나 목격한 적이 있는가?

3. 우리 조직이 내적 공진화가 아닌 외적 공진화를 경험한 적이 있는가?
4. 리더나 경영진이 구성원들의 공진화 과정을 촉진하고 지원하는 방법은 무엇일까?

[7장. 복잡계 리더십 발휘 Proposal]

1. 조직에 적합한 학습과 변화를 만드는 리더

디지털 전환의 급속한 전개와 超연결화, IT 발달, 소셜 미디어 확산 및 새로운 세대 등장 등 다양성이 보편화된 시대에 맞는 새로운 리더십이 요구된다. 경영진과 리더들은 현재 사업 운영의 최적화를 추구해야 하는 동시에 새로운 수익 창출 모델을 개발해야 한다. 더불어 조직 문화의 변화를 이끌어야 한다. 특히 디지털 전환 시대의 특성들을 경영진과 리더들 스스로 체득하여 적용하는 모습을 행동으로 보여줘야 한다. 이와 관련해서, 리더십은 크기와 속력의 차이는 있겠지만 추구하는 방향성은 한 곳을 향해있다. 위계와 권위 중심에서 권한 위임과 진정성 중심으로, 정보의 제한과 통제에서 정보의 공개와 투명함으로 향한다. 관료적 구조에서 탈피하여 적응적 상호의존과 상호작용으로의 진격이다.

복잡계 이론에서 바라보는 리더십은 어느 특정 리더십을 말하지 않는다. 다만 상황과 맥락을 고려하여 이해되고 발휘되는 것으로 본다. 핵심은 조직 구성원들 간의 상호작용을 활성화 시킬 수 있는 리더십이다. 상호작용 활성화의 결실은 새로운 변화와 혁신이다. 변화하는 환경과 맥락을 고려한 다양한 접촉과 접속을 통해 조직에 적합한 구조를 만드는 리더의 역할이 중요하다. 기존 통제와 관리 속에는 숨쉴 곳과 숨쉴 틈이 없다. 문제의 원인을 구성원 탓으로 돌리는 선형적 접근에서는 지적과 비판이 난무하여 구성원들은 더 무난한 일을 무난히 해내는 것에 집중하게 된다. 이제는 환경과 맥락을 통합적으로 고려함으로써 문제 자체를 시스템 차원으로 인식하는 접근이 중요하다.

앞으로 리더는 발생하는 현상들에 대해 '무슨 일이 발생했지?' '누가 그랬지?'에만 머물지 말고 '어떤 과정을 통해 그런 일이 일어났지? 또 다시 일어날 수 있을까?'와 '어떻게 하면 유사한 효과를 다시 볼 수 있을까?'를 고민해야 한다. 이러한 질문은 복잡계 이론을 활용하면 만들 수 있다. 변화가 많고 예측이 어려운 경영 환경이 지속됨에 따라 조직은 더 복잡한 시스템의 필요성을 느낀다. 복잡한 시스템이란, 목적이 공유되고 다양한 관점과 요구들이 역동적으로 연결된 네트워크이며, 정보와 지식이 흘러 다녀서 창의적인 문제해결을 할 수 있는 모습을 갖춘 것을 말한다. 따라서 이러한 복잡한 시스템에서 역동성과 협력을 존중하며, 창의성과 도전에 공감하며 지속적인 학습을 촉진할 수 있는 리더십이 절실한 것이다.

<같이 논의해 보면 좋을 질문들>

1. 디지털 전환 및 현대 조직에서 요구되는 새로운 리더십의 주요 특징은 무엇이라고 생각하는가?
2. 복잡계 이론과 리더십 간 연관성을 논의해 보고, 리더가 어떻게 구성원들의 상호작용을 활성화시키고 혁신을 이끌 수 있을까?
3. 복잡한 시스템 속 역동성, 협력, 창의성, 도전에 공감하고 지속적인 학습을 촉진할 수 있는 방법은 무엇일까?

2. 복잡계 리더십 complexity leadership

복잡계 리더십 complexity leadership은 불확실성과 복잡성이 증가하고 있는 최근 경영 환경 속에서 등장한 리더십으로, 시대가 새로운 변화를 요구하게 되면서 자연스럽게 조직이 이를 반영한 결과라고 할 수 있다. 복잡성이 높아짐에 따라 경영진과 리더는 불확실성을 박멸하거나 퇴치할 수 없는 없다. 오히려 불확실성 속에 숨겨져 있을 커다란 질서를 찾고 질서를 잡아가는 역할이 더욱 중요하다.

복잡계 리더십은 '다양한 구성원과 아이디어들이 상호작용할 수 있도록 지원하고 촉진하여 조직에 가장 적합한 학습, 변화 및 혁신을 만들어 가는 과정'이다. 복잡계 리더십은 구성원들 간 실제 상호작용이라는 행동에 가장 큰 초점을 두면서도 내·외부적으로 교류할 수 있는 생태계를 조성해 주는 리더의 역할이다.

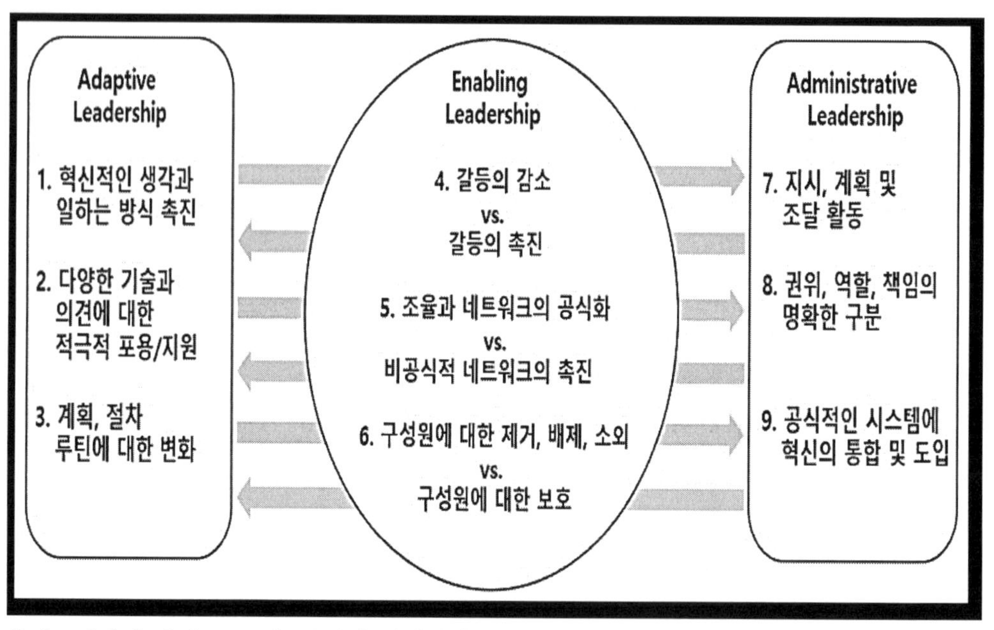

출처: 정영재·신제구. 2020. 복잡계 리더십이 구성원 민첩성에 미치는 영향 리더십 연구

복잡계 리더십이 다른 리더십과 구별되는 특징은 3가지 유형의 리더십이

통합적으로 상호작용하면서 시너지를 만드는 시스템 구조를 가지고 있다는 것이다.

1) 관리적 리더십

첫째는 엄격한 조정과 관리에 기반하여 행동하는 관리적 리더십 administrative leadership이다. 리더는 언제 더 통제 및 관리하고자하는 마음이 강하게 작동할까? 복잡한 상황에 직면할 때 구성원들에게 더 많은 책임과 이전보다 더 많은 무언가를 요구하게 된다. 이런 요구는 실패로 돌아가기 쉽고, 이를 만회하기 위해 또다시 더 많은 규제와 통제 유혹에 빠진다. 현재 많은 리더들이 이런 악순환 훈련을 받아온 셈이다. 조직을 좀 더 챙긴다는 것이 모든 숫자에 신경을 곤두세우고 출장비를 삭감하는 등 일명 푸시 push 전략을 강화함으로써 기존 질서를 유지하려 한 것이다. 하나의 원인이 하나의 결과로 연결되지 않고 작은 변화가 예상할 수 없는 큰 결과를 초래할 수 있는 시대이다. 리더의 관리 중심 행동은 조직의 창의와 적응에 있어서 걸림돌이 될 수 있다. 정해진 길로만 다녀야 하는 구성원들은 더 이상 역동성을 만들기 어렵기 때문이다.

하지만 훌륭한 관리적 리더는 공식적 권한이 있는 구성원에게 힘을 불어넣으면서 조직을 더욱 단단하게 만든다. 혁신과 창의는 관리의 힘과 적응의 힘 사이에서 발생하는 긴장감 속에서 탄생한다. 훌륭한 관리적 리더는 구성원의 공식적 역할을 확대해 줌으로써 조직이 변화에 적응을 하는데 필요한 밑바탕을 만들어 준다. 훌륭한 관리적 리더의 역할은 변화와 혁신으로 만들어질 결과들을 지속적으로 조직 시스템 또는 조직 구조로 내재화시키는 것이다. 앞으로 조정과 통제가 어느 순간에 적절하고 필요한지를 판단할 수 있는 훌륭한 관리적 리더의 역할이 중요해 질 것이다.

2) 적응적 리더십

둘째는 창의적 문제해결과 새로운 도전에 공감하는 적응적 리더십 adaptive leadership이다. 복잡한 환경 속에서는 기존 질서로 맞서기보다 새로운 적응으로 대응하는 것이 현명하다. 적응적 리더는 구성원들의 집단지성을 촉진하고 활용하려는 '당김 pull 전략'을 선호한다. 구성원들이 변화를 위한 준비된 환경에서 상호 연결됨으로서 이전에는 존재하지 않았던 새로운 질서를 출현시킬 수 있다. 이들이 만든 변화는 다양한 구성원들 간의 생각이 융합되고 때로는 출동하면서 풍부하게 연결된 상호작용의 결과물이다. 이 과정에서 리더는 협업과 학습을 독려하는 것은 기본이고 실질적인 활동이 이루어질 수 있도록 창의적 공간과 자원을 제공한다. 또한 창의적 공간의 기반이 될 수 있는 IT 인프라에도 신경을 쓴다.

불확실성과 복잡성이 증가하고 있는 환경에서 리더는 포지션과 권위로 조직의 목적을 달성하려는 생각은 버리고 어떻게 하면 새로운 환경과 맥락에 맞는 리더십을 발휘할 수 있을까에 집중해야 한다. 적응적 리더는 구성원들로부터 얻는 신뢰를 바탕으로 한정된 자원에도 불구하고 새로운 아이디어와 행동을 샘솟게 만든다. 적절한 변화의 타이밍을 포착할 수 있어서 어느 순간에는 시스템을 느슨하게 가져감으로써 정보의 흐름을 더욱 원활하게 만들기 때문이다.

3) 활성적 리더십

마지막 세번 째는 관리와 적응 둘 사이에서의 상호작용, 연결 및 전환과 같은 역동성을 촉발시키는 활성적 리더십 enabling leadership이다. 상반되어 보이는 관리적 리더십과 적응적 리더십 사이에서의 가교역할을 하는 활성적 리더는 상황과 맥락에 맞게 집중하고 전환시킬 수 있는 사람이다. 연결을 통해서 얻을 수 있는 강점과 약점에 대해 잘 파악하고 있다. 강점은 더욱 활용하면서도 약점은 긍정적 에너지로 변환시켜 또다른 강점으로 승화시킨다. 관리와 적응 둘 사이를 제3의 시각으로 바라보며 언제든지 행동할 수 있는 리더십인 것이다.
복잡계 리더십은 변화가 없는 안정적인 상태에서는 조정과 관리 중심으로 작동하다가, 갑작스러운 변화를 만나게 되면 주변과 공명을 시작으로 도전과 학습 중심으로 작동하는 적응적 리더십으로 전환한다. 이 과정에서 활성적 리더십이 관리적 리더십과 적응적 리더십 작동 사이에서 가교역할을 하게 된다.

따라서 복잡계 리더십은 구성원, 아이디어, 조직과 환경 사이의 상호작용 구조인 맥락을 중요하게 생각한다. 복잡계 리더십은 기존 관료주의적 리더십의 결함을 극복하기 위해 설계된 것으로 세상과 끊임없이 공진화하는 리더십이다.

<같이 논의해 보면 좋을 질문들>

1. 복잡계 리더십은 '다양한 구성원과 아이디어들이 상호작용할 수 있도록 지원하고 촉진하여 조직에 적합한 학습, 변화 및 혁신을 만들어 가는 과정' 입니다. 이러한 리더십이 제대로 작동하려면 무엇이 가장 중요하다고 생각합니까?
2. 관리적 리더십, 적응적 리더십 및 활성적 리더십은 복잡계 리더십의 세 가지 주요 유형입니다. 각 리더십 유형은 서로 어떻게 연결되어 있는가?
3. 조직에서 관리적 리더십이 갖는 가치와 역할은 무엇이며, 언제 적응적 리더십으로 전환해야 하는지에 대한 판단 기준은 무엇일까?
4. 상반되어 보이는 관리적 리더십과 적응적 리더십 사이에서의 가교역할을 하는 활성적 리더가 보이는 특징은 무엇인가?

★ Complexity Leader

세상은 평화(질서)와 폭풍(무질서)사이에서 조금씩 나아집니다.
민첩한 조직을 위해서는 과거의 질서 지향성과 현재의 역동 지향성 사이에서 춤을 출 수 있는 리더가 요구됩니다.

1. 이들은 사건의 맥락을 살피고 사람의 감성을 살필 줄 압니다.
2. 이들은 혼돈의 가장자리에서 결정적인 힘을 낼 수 있습니다.
3. 이들은 애매함과 모호함을 흥미로운 게임으로 인식합니다.

★ Complexity Leadership

민첩한 조직 과정에서의 필연, Tension 이야기입니다.
구체적으로 다음의 3가지 긴장감이 맴돌게 됩니다.

1. 업무 자체 마감 일정이 주는 긴장감
2. 업무 수행 난이도가 주는 긴장감
3. 동료 고객 상호작용이 주는 긴장감

이 사이사이를 관통하는 것이 '리듬감'. 향후 리더에게 이 리듬을 잘 살릴 수 있는 감이 있느냐가 구성원과 조직을 살릴 수 있느냐와 동의어가 될 것입니다.

3. 다이나믹한 안정성을 추구하는 리더

리더는 의사결정을 내리는 사람이다. 좋은 의사결정을 위해 조직 안에 정보와 지식이 잘 공유되도록 촉진해야 한다. 리더 스스로도 구성원들의 정보와 지식을 소화할 수 있는 능력을 갖춰야 한다. 복잡성이 높은 경영 환경에서 정보와 지식이라는 단서를 가지고 환경이라는 맥락과 조화시켜 현명한 의사결정을 내려야 한다.

리더를 직업으로 분류해 본다면 과학자에 가까울까, 예술가에 더 가까울까? 물론 정답은 없지만 과학자에 가깝다고 대답했다면 '뉴튼의 후예'로 인정받을 수 있다. 리더는 예술가에 더욱 가깝다고 대답했다면 '복잡계의 후예'라는 칭호를 받을 수 있다. 과학자의 전제는 미래는 예측 가능한 것이다. 반면, 예술가의 기본 생각은 미래는 예측보다는 변화와 적응의 대상이다. 과학은 상상을 상식으로 전환하는 활동이라면, 예술은 상식 속 숨어있는 상상을 소환하는 활동이다.

리더가 내리는 의사결정은 과학적인가 예술적인가라는 질문으로도 바꿀 수 있다. 민츠버그 Mintzberg는 리더 활동의 실증적 연구를 통해 리더 활동은 비과학적인 면이 많아서 직관과 통찰에 의존하고 있다고 밝혔다. 리더는 이성적이며 체계적인 계획을 세울 것 같았지만, 리더 활동의 약 50% 일이 9분이상 지속되지 않는다고 했다. 또한 리더라면 공식화되고 정형화된 정보시스템을 통해 정보를 얻을 것 같았지만, 실상은 리더가 소유하고 있는 약 80%의 정보는 주로 대화에 의존한다는 것이다. 경영은 과학에 가깝고 리더는 합리적으로 일을 처리하고 수행하는 사람이라고 생각하는가? 실상은 머리로 생각하는 분석보다는 마음으로 조직하고 통합하는 자신의 틀인 스키마를 기반으로 의사결정을 내린다. 리더는 치밀한 분석 결과가 잘 정리된 보고서 만큼이나 공식적 또는 비공식적 채널을 통해 접수된 다양한 정보에 근거하여 판단을 내린다.

뛰어난 의사결정을 내리는 리더는 혼돈의 가장자리에서 외부에서 불어 닥치는 바람(섭동)과 내부에서 올라오는 열기(요동)에 주목한다. 의사결정 메커니즘은 혼돈의 가장자리의 조건을 살펴보면 명확해 진다.

첫째, 리더는 열린 생각과 자세로 외부에서 들어오는 에너시를 받아들이고 필요 없는 에너지는 내보내야 한다. 비워야 채울 수 있으며, 채우면 비워낼 수 있어야 한다.

둘째, 정보 채널들을 다양하게 확보하고 이질성과 다양성을 유지해야 한다. 채널은 다양하지만 유사한 그룹이라면 창의성을 높이는데 큰 도움이 되지 않는다.

셋째, 정보들 사이에서 또 다른 차원의 상호작용이 일어나도록 해야 한다. 따라서 '많이, 열심히 전술'보다는 '적게, 괜찮아 전술'이 필요하다. 여지와 공간을 만들어 놓음으로써 색다른 탐색의 시간을 확보할 수 있다. 새로운 에너지와 열정을 끌어올릴 수 있기 때문이다. 지나치게 촘촘하게 연결되어 있다고 생각되는 구조에는 어느정도 느슨한 연결 구조로 변화를 주는 것이 좋다.

넷째, 의사결정에도 영점 조정이 필요하다. 대포 한 방으로 모든 것을 정리하려는 것처럼 먼 미래를 예측하고 계획을 세우는데 너무 많은 에너지를 쏟는 것은 위험하다. 변화에 빠르게 적응할 수 있으면서도 다양한 아이디어가 유입되도록 해야 한다. 그 과정에서 잦은 실패는 용인하고 작은 성공은 공유할 수 있는 분위기를 만들어야 한다.

다섯째, 리더는 정보를 공유해주는 사람들과 함께 공진화해야 한다. 상호의 목적이 일치되어야 '공명의 장'이 형성된다. 이해관계자들과 주파수를 맞추려는 노력을 하면, 긍정적 피드백이 가동되면서 모두가 만족할 수 있는 의사결정을 내릴 확률은 높아진다.

마지막으로 철학과 원칙에 일관성을 유지해야 한다. 리더의 일관적이지 못한 행동, '응큼함'은 구성원들을 혼란의 늪으로 빠지게 만든다. 그 결과, 참신한 생각과 창의적 행동을 위축시킨다.

가장 안전한 조직이 가장 불안한 상태이며, 가장 불안한 조직이 가장 안정된 상태이다. 리더는 혼돈의 가장자리로 몰아가기 위한 노력을 해야 한다. 지금 이 순간에도 유입되고 있을 새로운 정보들을 거시적 질서로 전환시킬 수 있어야 한다. 이러한 노력을 하는 리더와 같이 일하는 구성원들은 다르다. 그 구성원들은 끊임없이 주변과 상호작용하는 동시에 균형감을 이루고 있는 '동적인 안정상태 dynamic stability'를 추구한다. 자연스럽게 조직 변화와 혁신에 동참하는 것이다.

<같이 논의해 보면 좋을 질문들>

1. 어떻게 과학자와 예술가의 특징을 조화시키며 의사결정을 내릴 수 있을까?
2. 의사결정을 내일 때 공식적 또는 비공식적 채널을 어디서 어떻게 활용하는가?
3. 우리 조직의 현재 '응큼함'의 지수는 어떠한가? 어떻게 '상큼함'으로 바꿀 수 있을까?
4. 왜 가장 안전한 것이 가장 불안한 것인가? 지금 내 자신은 어떠한가?

★ 리더에게 가장 중요한 의사결정, 그것을 방해하는 4가지는?

1. Similarity 유사성 편향

- 다른 것보다 유사한 것에 끌리게 됩니다. 사람을 채용하거나 승진시킬 때도 이러한 유사성 편향은 발휘됩니다. 조직내 in group과 out group을 본능적으로 형성하게 되어 in은 긍정적으로 out는 부정적으로 보이게 합니다. 나와 다른 사람들에게서 공통점을 찾아보는 노력이 중요합니다.

2. Expedience 편의성 편향

- '어떤 일이 일어났는가'에만 관심을 가집니다. 이러한 욕구는 깊은 고려없

이 서투른 의사결정을 하도록 만듭니다. 사람을 판단할 때 하나의 정보나 평판으로만 판단하게 만듭니다. 더 많은 정보를 수집 하는 데는 그만큼의 시간이 투여 되기 때문에 편의성 편향이 발동됩니다. 이를 극복하기 위해서는 2x2 matrix를 사용하여 유형과 영역을 구분 지어 먼저 큰 그림을 그려 보도록 합니다.

3. Distance 거리 편향

- 사람은 물리적으로 가까운 거리, 시간을 본능적으로 중요하게 생각합니다. 超연결 사회로의 진입으로 거리 편향을 극복하는 것은 매우 중요합니다. 이를 위해서는 사전에 전화로 가볍게 안부를 묻거나 논의 주제는 간단히 미리 공유하는 방법이 좋습니다.

4. Safety 안전 편향

- 사람은 이익보다 손실에 민감합니다.

나쁜 것이 좋은 것보다 더욱 강력합니다. 안전 편향은 중요한 의사결정을 늦추게 만들고, 도움이 되는 도전과 위험감수 등도 멀리하게 만듭니다. 이를 극복하기 위해서는 자신과 의사결정 사이에 징검다리를 놓는 것입니다. 예를 들어, 과거에 성공적으로 결정 내렸던 기억을 상기시킴으로써, 손실에 대한 과한 인식을 낮출 수 있습니다.

☆ 다른 것에서 공통점을 찾아내고, 데이터에 기반한 의사결정을 노력하며, 물리적 거리를 좁히면서, 도전과 위험을 포용하는 의사 결정자로서 리더 역할 연습이 필요합니다.

4. 네비게이션이 아니라 북극성을 따라간다

경영학 연구자들은 불확실하고 복잡한 환경에서 조직 역량 극대화를 위해 중요한 것으로 '단순화'를 꼽는다. 단순화의 대상은 조직의 규칙부터 조직 설계까지 다양하다. 자연환경에서 단순화를 통해 잘 적응해가며 살고 있는 무리가 있는데 바로 철새들이다. 네비게이션이나 항법 장치없이 일정한 간격을 유지하며 어떠한 충돌도 없이 수 천 킬로미터를 이동해 날아가는 모습이 경이롭다.

글로벌과 기술 혁신 등으로 국가별, 기능별, 상품별로 조직은 복잡성을 더해가고 있다. 그만큼 처리해야 할 정보와 관리해야 할 이해관계자가 많아지면서 단순한 규칙을 원하게 된다. 세상을 좀 더 뚜렷하게 관찰하기 위해서는 조직의 존재이유와 해야할 일을 구체화시키는 일이 필요하다. 등대처럼 빛을 밝혀줄 수 있는 미션과 목표를 명료하게 규정하고, 철새처럼 멀리 이동할 수 있는 행동 지침을 단순하게 결정함으로서 조직의 복잡성을 최소화 해야 한다.

MIT 크레이그 레이놀즈 Craig Reynolds는 새처럼 무리를 지어 행동할 때 나타나는 조율된 행동 coordinated activity을 시뮬레이션 했다. 이 소프트웨어 안에 등장하는 새들을 'Boid'라는 이름을 붙이고 각 Boid가 주변에 있는 다른 동료들의 위치와 행동에 따라 다음의 세 가지의 단순한 규칙을 따르도록 프로그램을 만들었다.

첫째, 서로 간의 충돌을 피한다 separation

둘째, 가장 가까이 있는 동료가 향하는 방향으로 함께 향한다 alignment

셋째, 가장 가까이 있는 동료와 적절한 간격으로 유지한다 cohesion

우리는 이미 속도 경영 시대에 이어 새로운 페러다임을 맞이하고 있다. 산업 간 장벽이 허물어진 무경계성, 미래를 예측하기 어려운 불확실성, 언제 닥칠지 모르는 위기와 급변성 등이 빚어낸 복잡한 경영 환경을 맞이하고 있다. 불확실성 속 환경을 감지하고`창의적 방법으로 기회를 추구하는 경영

방식이 앞으로의 성공을 만들어 낼 것이다. 스피드가 최우선인 기존 전략에는 빠르고 많은 정보력이 중요했지만, 은근과 끈기가 필요한 지금 전략에는 기회를 감지하고 포착하는 역량이 더욱 중요하다. 남보다 빠른 속력만으로는 성공이 보장되지 않는다. 미래가 어떤 모습으로 우리에게 다가올지 예측할 수 없기 때문에 은근과 끈기가 깃든 정체성 수립이 중요하다. 눈앞의 효율과 성적에만 신경 쓰면 경영 운영은 성급해 질 수 밖에 없다. 미래의 목적성과 정체성을 지향하면 경영 운영은 효과적일 수 있다.

超연결시대에서 경영진과 리더는 조직의 목적과 구성원들 목적 사이에 다리를 놓는 노력이 중요하다. 리더는 조직의 목적과 구성원들의 목적이 잘 연결되어 있는 목적의 생태계를 형성해야 한다. 목적에 공감하고 있는 리더와 구성원들은 점점 같은 방향으로 공진화한다. 리더가 목적의식을 가지고 구성원들과 공명을 일으키는 것이 얼마나 중요한지 알 수 있다.

목적성을 가진 리더는 착한 리더와 구별된다. 목적성 리더는 세상의 변화와 혁신을 이끌어 낼 수 있는 목적을 실제로 행동으로 구현하는 리더이다. 목적과 사명이라는 안전하고 튼튼한 울타리를 가지고 있다. 이 울타리 안에서 구성원들은 목적을 구현하는데 필요한 역할을 수행하고 역량을 키운다. 목적이라는 울타리 안에서 마음껏 뛰어다닐 수 있는 것이 심리적 안전의 기반이다. 목적의 울타리 안에서 상대는 경쟁에서 이겨야 할 대상이 아니고 함께 협력해야 할 파트너가 된다. 이곳에서는 줄서기도 없고 젖은 낙엽들도 없다.

목적과 사명 달성을 위해 리더는 일과 과제에 집중할 수 있는 환경을 조성해야 한다. 산업화 시대에는 구조와 절차들을 전략에 맞게 꼼꼼하고 촘촘하게 설계하는 것이 경쟁력이었다. 시대가 진화했다. 구조를 유연화하고 절차를 간소화하고 정보가 숨쉬는 현장에 권한을 넘겨줘야 한다. 리더는 '가짜 일 fake work'을 줄이고 '진짜 일 real work'에 집중할 수 있는 분위기와 환경을 조성해야 한다. 사명과 목적 달성을 위해 영향력있는 일과 과제에 몰입 시켜야 한다. 몰입된 구성원들은 상황에 맞게 자신 역할과 관련된 과제를 만들고 다른 구성원들과 논의함으로써 자신의 역할을 내재화 시킨다. 몰입된 구성원들은 외부 환경을 적절히 반영함으로써 자신의 역할을 더욱 최적화 시킨다.

리더가 목적을 중심으로 구성원들과 함께 시도하고 노력하는 과정에서 조직은 더 경쾌하고 민첩한 상태로 진화할 수 있다. 어떻게 조직과 구성원들을 제대로 통제할 수 있을까? 이 질문은 잘못되었다. '조직' 앞에 '자기'가 붙은 자기조직화는 복잡계를 상징하는 개념으로 역동적으로 상호작용하는 다양한 구성 요인들 속에서 새로운 질서가 나타나는 과정을 말한다. 복잡계 경영은 조직의 '맥락 context'에 집중하는 것을 말한다. 구성원들의 일거수일투족을 감시하고 지시하기를 거부한다. 구성원들이 적응해 나가고 있는 환경 자체를 관리해야 한다. 구성원 각자 처한 상황이나 역량에는 차이가 있을 수 있어도 한 방향으로 나아갈 수 있게 하는 방법은 있다. 리더의 진정성 있는 목적과 진실한 목표가 구성원들 가슴에 들어오는 순간 구성원들의 생각과 행동은 새로운 질서를 만들기 시작한다.

<같이 논의해 보면 좋을 질문들>

1. 크레이그 레이놀즈가 제시한 Boid 모델과 같은 단순한 규칙이 조직 내 협력과 조율에 어떻게 도움을 줄 수 있을까?
2. 착한 리더와 목적성 리더를 어떻게 구분할 수 있는가?
3. 목적과 목표가 진정성 있게 공유된다면, 어떤 변화가 조직에서 일어날 수 있을까?
4. 리더의 진정성 있는 목적과 진실한 목표는 복잡계 경영에서 말하는 맥락에 집중한다는 것과 어떻게 연결되는가?

★ 목적은 위대하게 간직, 행동은 민첩하게 발휘

"전통적 장마의 원인은 '고온 다습한 북태평양고기압과 북쪽의 차고 습한 오호츠크해고기압 사이에 형성된 전선'이 위치하면서... 그러나 최근 장마는 기존의 정설과 다른 패턴을 보이고 있다고 합니다." 날씨는 complexity 자체이죠.

나비효과 butterfly effect는 초기의 미미한 변화가 이후에 엄청나게 다른 결과를 낳는다는 것으로 1961년 MIT공대 기상학 교수인 로렌츠Lorenz가 만든 개념입니다. 이는 '혼돈 이론 chaos theory' 토대가 됩니다.

세상의 복잡한 문제를 현명하게 풀어낼 줄 아는 사람은 '목적은 위대하게 행동은 민첩하게' 전략을 구사합니다. 장기적인 안목과 계획은 가지고 있으되, 그것은 언제든지 변경이 가능한 유연한 상태로 숙성시켜 놓습니다. 그들은 칼과 같은 선형적 논리만큼, 가위와 같은 非선형적 감성과 행동을 추구하면서 다양한 대안을 찾아냅니다.

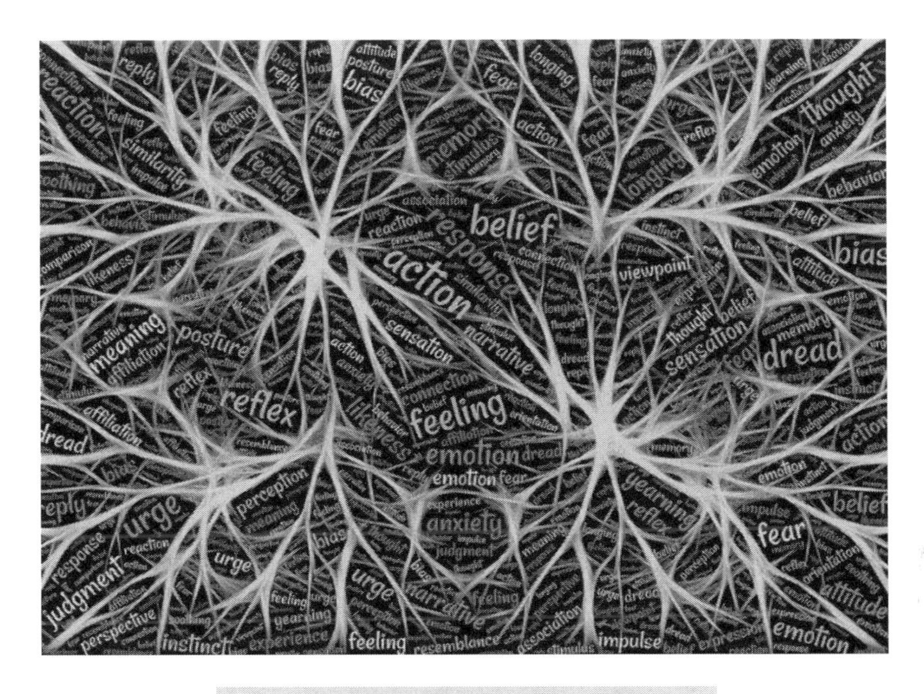

[8장. 복잡계 경영 실천 Practices]

1. 복잡계 경영을 위한 종합적 제안

자연과학, 사회과학, 인문학 등 다양한 분야에서 복잡계 연구가 증가하고 있다. 복잡계 관점에서 조직 연구는 전략경영, 조직혁신, 조직변화 등 전략과 변화라는 측면에서 주로 진행되고 있다. 하지만 여전히, 이론과 실천적 측면에서 복잡계 리더십과 복잡계 경영에 대한 논의와 시도가 더 많이 필요하다.

복잡계의 관심 증가는 超연결시대와 지식정보시대에 따라 생성되는 불안정성, 불확실성, 다양성, 非평형, 무질서 등이 부각되고 있기 때문이다. 기존의 단선적 사고를 통한 경영 현상의 이해와 해석은 설득력을 잃을 수 밖에 없다. 발생한 문제에 대해 직접적 원인에만 집중하는 사고로는 문제를 해결하기 어렵다. '누가 그랬어? 언제 그랬어?'와 같이 하나의 원인이 하나의 결과를 낳는다는 생각은 문제의 배경 구조 및 시스템 전체를 검토하지 않기 때문에 예기치 못한 결과를 초래하게 된다. 전략의 점검 및 실패의 다양한 원인을 점검하기 위해서는 그 배후에 있는 시스템과 불확실한 환경을 고려하는 '복잡계적 사고'가 필수이다.

경영학은 조직의 구조와 행동의 원리를 연구하는 학문이다. 조직의 생존을 위해 현실의 복잡성을 잘 이해해야 한다는 필요성으로 복잡계 이론이 적용되고 있다. 예를 들면 조직의 '학습 복잡계적 성격'을 밝히며 불확실한 상황에서 효과적인 대응으로 '학습과 적응'이 중요하다는 연구, 조직의 자기 조직화 실현을 위해 '부분 속에서 전체 실현', '여유성 확보와 중첩성의 허용', '다양성 획득 및 최소한의 규정 설정의 필요성'을 제안한 연구가 그러하다. 리더십 관점에서 역동적인 상황에서 새로운 리더가 출현한다는 이슈 리더십을 복잡계 관점에서 분석함으로써 '적응적 긴장'이 이슈 리더와 집단의 상호작용을 통해 적응적 성과에 긍정적인 영향을 미친다는 것을 증명하였다. 이는 환경과 맥락에 맞게 리더십이 발휘되어야 할 필요성을 시사하고 있다.

저자는 복잡계 리더십이 구성원과 조직 민첩성에 미치는 영향을 연구하였다. 또한 그 영향의 과정에서 구성원의 양면성, 심리적 임파워먼트, 협력적 학습, 상호작용 공정성 등의 효과를 실증하였다.

먼저 복잡계 경영을 위한 종합적인 제안은 다음과 해볼 수 있다.

첫째, 건강한 조직의 복잡성은 팀들 간의 협력, 경쟁 등의 상호작용이 있어야 가능하다. 구성원들의 다양성이 존중되고 상호 간 소통이 원활할 때 조직과 팀의 신선함이 유지될 수 있다. 각 팀이나 그룹의 학습 민첩성과 워크샵 퍼실리테이션 역량을 키우는 것이 중요한 이유이다.

둘째, 조직에 지속적으로 에너지를 유입시키는 것이다. 고인 물은 썩기 마련이고, 비워야 비로서 채울 수 있다. 조직에서 유입되어야 할 대표적 에너지는 '정보와 사람'이다. 지식과 정보들이 조직 내 춤을 추고 돌아다닐 수 있어야 하며, 새로운 생각과 역량을 갖춘 인재들이 투입되어야 하는 이유이다.

셋째, 유입된 에너지의 원활한 순환이다. 조직에 아무리 많은 데이터와 정보가 있어도 어떤 목적으로 어떤 의미를 부여할 것인가의 결정이 없다면 무의미하다. 적절한 사람에게 전달되고, 적합한 사람에 의해 적용되어야 한다. 구성원간 원활한 정보공유와 팀 간 정보공유 결과로써 작은 성공담을 쌓고 조직 차원의 지원과 인정이 절실한 이유이다.

넷째, 조직의 목적과 구성원 목적과의 공진화이다. 선순환 고리를 만드는 것은 예술에 가까운 일이다. 조직의 목적과 목표는 구성원들로부터 형성되는 것이라는 믿음을 가지고 있어야 한다. 구성원은 조직의 목적과 목표에 걸맞는 생각과 행동을 할 수 있는 용기가 있어야 하는 이유이다.

마지막으로 억지로 통제하기보다는 구성원 스스로 통제할 수 있는 힘을 키워줘야 한다. 구성원들이 가장 큰 좌절을 겪을 때는 스스로 아무것도 통제할 수 없다는 강한 믿음이 생길 때다. 구성원들 스스로 상호작용하기를 조직이 기대한다면, 자율성을 담보할 수 있는 조직적 허용이 있어야 한다. 믿고 맡겨줄 수 있는 진짜 권한 위임이 필요한 이유이다. 구성원 개인도 조직처럼 개인의 복잡성을 높인다는 것은 관리 차원에서 非효율적일 수 있다. 그러나 적응과 성장이라는 가치를 생각한다면 이것만큼 효율적인 것이 또 있을까? 구성원과 조직이 환경의 변화에 잘 적응할 수 있도록 관리자와 리더는 끊임없는 노력을 해야 한다. 복잡계 경영에 주목해야 하는 이유이다.

<같이 논의해 보면 좋을 질문들>

1. 복잡계적 사고가 필요한 이유는 무엇인가?
2. 복잡계 이론 기반 연구의 주제들을 보았을 때, 실제 경영과 어떤 연관이 있다고 생각되는가?
3. 위의 복잡계 경영을 위한 종합 제안을 보았을 때, 우리 조직이 추구해야 할 것과 얼마나 일치한다고 생각하는가?

4. 복잡계 경영과 리더십을 통해 어떻게 변화와 혁신을 추구할 수 있을까?

★ 복잡계 경영을 관리하고 측정한다는 것

"복잡계 경영은 본원적 변화입니다. 기존의 것과 영혼 자체가 다른 변화입니다. 양은 스케일을 반영하지만, 스케일만으로 실질적 효과를 설명하기에는 역부족입니다. 양은 일부 변화를 반영하지만, 체계의 변화와 실질적 영향력을 설명하기엔 역부족입니다.

非평형상태를 거쳐 완성되는 본원적 변화의 과정에서 우리는

1. 전체 연결 상태의 품질이 얼마나 온전한지를
2. 부분들이 함께 어울려 작동 하는가의 협업도를
3. 모든 행위들이 목적에 잘 부합 되는가의 정렬도를
4. 환경변화에 잘 적응 하는가의 민첩도를 관리해야 합니다."

2. 점진적 혁신과 획기적 혁신, 양손잡이 경영

양손잡이 조직 운영 특징

기존 조직		신규 조직
기존사업 확대	전략 목표	신규 사업 개발
경쟁전략(competitive strategy)	중점 전략	창발적 전략(emergent strategy)
시장·고객 분석 및 확대	수행방식	린스타트업, 실험
효율성 중시	수행문화	실패에 대한 용인
개인별 결과 평가	성과 평가	집단 및 과정 평가

출처: 한국경제 양손잡이 조직이 돼라(2017)

지금과 비교할 때, 과거 변화 속도는 빠르지 않았다. 그렇기 때문에 둘 중 하나를 선택해도 되는 즉, 배타적 양자택일의 시각에서 좀 더 괜찮은 것을 고르면 경쟁적 우위를 차지할 수 있는 것이 가능했었다. 하지만, 지금과 같

이 급변하는 상황에서는 현실에 내재된 모순적 상황을 품을 수 있는 역설적 시각이 강조되고 있다. 양립불가능의 개념에 기초한 합리성만으로는 오늘날 현실 상황을 담아내기에 한계가 있다는 것이다. 따라서 상반되어 보이지만 서로 보완이 될 수 있는 즉, 대립적 상보성 개념에 기초한 역설적 모순관이 확산되고 있다.
특히, 양손잡이 경영과 리더십 및 조직문화와 관련된 연구에서도 모순적 상황에서의 역설적 접근에 기초한 논의가 활발하게 이루어지고 있는 것도 같은 맥락에서 이해할 수 있다.

최근 많은 조직이 '성장의 역설'이라는 덫에 걸려있다. 성장을 이루고도 실질적인 이익을 내지 못하는 경우인데, 사업 포트폴리오의 확장, 인수 합병 등으로 복잡성 증가에 따른 원가 상승 때문이라고 한다. 수익성 개선을 위해 조직은 매출만큼이나 복잡성을 잘 관리해야 한다. 조직 홀로 가치 창출 활동을 모두 전담하는 것이 아니라 네트워크를 활용함으로서 가치를 창출하는 것이 중요하다.

복잡성은 원가 구조에 영향을 미칠 뿐만 아니라 변화와 혁신을 위한 조직 전략에 영향을 미친다. 조직들은 복잡성을 관리하기위해 보통 2가지 전략을 구사한다. 가장 쉽게 채택하는 방법은 단기 전략이다. 단기 전략은 턴어라운드 자체의 성공 가능성은 높지만 위기의 근본 원인을 해결하지 못해 언제든지 위기 재발 가능성이 존재한다. 반면 장기 전략은 일단 성공하면 획기적 재도약의 발판이 되지만 급진적 변화의리스크 때문에 턴어라운드 성공 가능성이 그만큼 낮다. 조직은 항상 고민에 빠질 수 밖에 없다.

조직은 복잡성을 최대한 조직 내부로 끌고 들어와 원인을 파악하고 해결하는 것이 효과적이다. 이러한 조직이 안고 있는 복잡성이 외부 시장과 고객까지 전이되면 일은 더욱 복잡해지기 때문이다. 고객들이 원하는 것은 단순함이다. 이렇게 조직 내부로 끌고 들어온 복잡성을 최대한 줄이거나 없애야 한다. 구체적으로 꼭 필요한 핵심역량 이외에는 과감하게 아웃소싱을 하거나 반대로 필요한 것이 있다면 적극적으로 도입, 적용해서 복잡성을 줄여야 한다.

그럼에도 해결되지 않는 복잡성은 더 깊고 넓은 이해와 석응이 필요하다. 기존 동일한 생각들로 그득찬 그룹을 다양한 이질적인 구성으로 가득찬 그룹으로 전환시켜야 한다. 비슷한 그룹 내에서는 비슷한 생각이 나올 수 밖에 없으니 복잡한 환경을 돌파할 수 있는 묘수가 나올 수 없다. 다양한 분석 툴을 실험적으로 적용해 보거나 이질적인 생각과 창의적인 아이디어들을 촉진시킴으로써 새로운 질서의 창발을 기대할 수 있다.

복잡성을 두고 리더와 구성원들 간 인식의 차이는 상당히 크다. 리더들에게 복잡성의 영향에 대해 물으면 정부 규제와 같은 제도적 복잡성을 주로 얘기한다. 구성원들에게 똑같이 복잡성의 영향에 대해 물으면 업무의 복잡성, 짜증나는 업무 절차, 불분명한 업무 분장 등과 같은 개인적 복잡성을 꼽는다. 구성원들에게는 제도적 복잡성이 문제되기 보다 구성원 개인적 복잡성을 문제라고 생각한다.
예를 들어, 도로와 공항을 비교해보면 제도적인 복잡성보다 개인적 복잡성이 왜 더욱 이슈가 되는지 알 수 있다. 도로는 공항에 비해 차량 수, 주행 방향, 교차로 수가 훨씬 많다. 하지만 도로 위 복잡성은 어느 소수에게 책임을 묻지 않는다. 모든 책임은 도로 위 모든 사람들에게 분배되기 때문이다. 개인적 제도적 복잡성은 높지만 개인적 복잡성은 낮은 편이다. 반면, 공항은 제도적 복잡성은 낮지만 개인적 복잡성이 매우 높다. 왜냐하면 활주로의 상황은 도로 위의 상황보다 복잡성이 낮다. 하지만 소수 전문가에 의해 통제되고 있기 때문에 개인이 느끼는 복잡성 정도는 매우 높다.

따라서 조직은 구성원들에게 문제가 되고 있는 복잡성이 어느 부분에서 왜 발생하고 있는지를 진단할 수 있어야 한다. 어느 팀과 부문에서 어떤 유형의 복잡성이 발행하고 있고 구성원들의 복잡성을 다루는 역량 수준을 측정할 필요가 있다. 가치 창출에 도움이 되지 않는 복잡성은 제거하는 동시에 복잡성 자체를 잘 다룰 수 있는 역량을 키워야 한다.

복잡성과 모호함을 견디고 잘 관리할 수 있어야 한다. 조직마다 겪고 있는 복잡성은 다양하다. 위에서 언급하였듯이 리더들이 겪고있을 복잡성과 구성원들이 인식하고 있는 복잡성 또한 차이가 있다. 조직은 구성원들이 복잡성을 어떤 시각으로 바라보고 있는지 관찰하고 복잡성의 원인을 해결하는데 주력해야 한다. 유익한 복잡성은 가져가고 백해무익한 복잡성은 제거할 수 있기 때문이다.

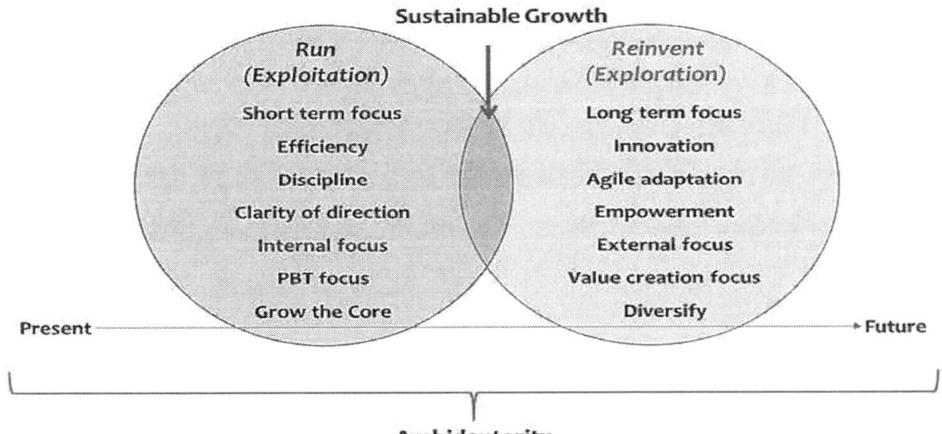

불확실한 경영환경 속에서도 지속적 경쟁우위를 다지는데 필요한 개인과 조직 차원의 방안으로 양면성 ambidexterity의 개념이 나왔다. 양면성은 불확실한 환경 속에서도 주도적으로 적응할 수 있는 긍정적 행동에 영향을 준다. 양면성은 변화하는 환경에서 기회를 감지하고 변화 행동을 이끌어 내는 능력이다.

양면성은 마치 March교수에 의해 활용과 탐색으로 소개되었다. 활용 exploitation은 기존 지식을 사용하고 확산시키며, 반복 경험을 통해 신뢰성을 만들어 간다. 반면 탐색 exploration은 변화와 혁신을 위해 기존의 지식들을 새로운 기억으로 전환하고 개발함으로써 다양성을 창출한다. 활용은 효율성, 생산성, 선택, 실행 등과 같은 개념으로 동일한 목표를 위해 취하는 행동들의 일관성 및 정합성을 추구하는 활동이다. 한편, 탐색은 탐색, 변이, 위험감수, 실험, 유연성, 발견 등과 같은 개념으로 환경의 요구에 빠르게 변화할 수 있는 능력 및 적응성을 추구하는 활동이다. 활용은 현새에 서서 과거를 바라보는 것이라면, 탐색은 현재에 서있지만 미래를 조망하고 있다.

그런데 활용과 탐색은 상충 관계 trade off를 보여서, 활용과 탐색의 균형을 이루는 것은 쉽지 않다. 두 활동이 가지고 있는 근원적 긴장 관계로 동시에 추구하는 것이 어렵다. '두 마리 토끼를 잡는다'라는 말처럼 말하기는 쉬우나 행하기는 어려운 것도 없다. 그럼에도 불구하고, 활용과 탐색 두 가지 활동 가운데 어느 하나에만 치중하는 것은 조직에게 위험하다. 활용에만 치중하면, 급격한 환경 변화 또는 대체기술 등장으로 인해 생존 자체가 어려워질 수 있기 때문이다. 탐색에만 치중하는 경우, 기존 보유한 경쟁력이 저하되고 탐색의 결과가 긍정적이지 못할 경우 실패 비용이 가중될 수 있기 때문이다.

그렇다면 어떻게 해야 두 관계 사이에서 균형을 잡을 수 있을까? 조직은 원래 한정된 자원을 가지고 있다. 먼저, 우선 순위를 정하는 것이 중요하다. 현재 생산 공정의 효율성을 높일 것인지, 미래 AI 기술 개발에 더 투자할 것인지를 결정해야 한다.

또한 활용을 위한 조직 특성과 탐색을 위한 조직 특성이 다르다는 점을 인식하고 제대로 대응해야 한다. 활용을 추구하는 조직은 규모가 크고 위계적 조직구조와 중앙 집중화 성격을 갖는다. 엄밀하고 표준화된 프로세스를 가지고 있기 때문이다. 반면, 탐색을 촉진하는 조직은 위험 감수, 실험, 도전 등이 비교적 자유롭게 허용되고 수행된다. 상대적으로 규모가 작은 단위 조직 구성을 갖추거나 느슨하고 유연한 프로세스 및 개방적인 조직문화가 뒷받침되기 때문이다. 카오스 이론 chaos theory에서는 이러한 대응 과정을 모순적 경향성들이 상호 간의 경계에서 공진화 과정을 거쳐 시스템을 한 단계 업그레이드 시키는 것으로 설명한다.

위와 같이, 활용과 탐색의 균형을 유지할 수 있는 역량을 가진 조직을 양손잡이 조직 ambidextrous organization이라고 한다. 양손 모두를 능숙하게 사용하는 양손잡이 개념을 기존에 보유하고 있는 경쟁력을 유지하면서 동시에 필요한 혁신역량을 발휘할 수 있는 조직에 적용하여 은유적으로 표현한 것이다. 양손잡이 조직은 불확실한 환경에 직면한 조직이 갖춰야 하는 특성인 동시에 민첩한 전환 agile transformation속 조직이 갖춰야할 필수 요건이다.

양손잡이 조직은 크게 2가지로 구분할 수 있다. 하나는 구조적 접근에 입각한 구조적 양손잡이 조직이고, 다른 하나는 조직 맥락적 접근에 입각한 맥락적 양손잡이 조직이다. 구조적 양손잡이 조직의 특징은 활용전담부서와 탐색전담부서를 구분하여 서로 다른 목표, 전략, 구조, 절차 등을 해당 활동에 적합한 구성으로 조직 및 운영하여 양면성을 실현하는 것이다. 기존 사업 주력 부문과 신규 사업 개발 부문을 분리하여, 기존 사업 주력 조직은 기존 제품과 시장을 유지, 발전시키는데 전념하게 한다. 반면, 신규 사업 개발 부문은 새로운 시장에 대한 예측, 신기술 개발 및 신성장 동력을 발굴하는데 주력하게 한다.

맥락적 양손잡이 조직의 특징은 전담 부문을 구분하지 않고, 모든 조직과 구성원들이 활용 활동과 탐색 활동을 수행하도록 하는 방식이다. 조직 맥락은 성과관리와 사회적 지원의 균형을 통해 가능하다고 보고 있다. 성과관리는 구성원들이 자발적으로 높은 목표를 설정하여 성과를 달성하게 하고, 자신들의 활동에 대해서는 책임지게 하는 것이다. 한편, 사회적 지원은 구성원들에게 자율성과 안정감을 확보해 주는 동시에 위험을 감수하며 활동 경계를 확장해 나가도록 돕는 것이다. 조직은 활용적 측면의 성과관리와 탐색적 측면의 사회적 지원을 통한 동기부여를 도모하여 맥락적 양손잡이 조직을 실현할 수 있다.

양면성은 역동적인 환경에 영향을 받는다. 구성원들에게는 상사라는 업무 환경이 구성원 개인의 양면성에 영향을 준다. 새로운 기회와 영감을 주는 리더를 통해 구성원들은 기존 지식을 활용하고 새로운 것으로 전환하고 개발하는데 힘쓴다. 불확실하고 복잡해진 경영 환경에서 경영진과 리더의 슬기로운 태도와 행동은 중요하다. 구성원들이 환경 변화에 적응하기 위해 활용적 행동과 탐색적 행동을 적절하게 결정하는데 중요한 역할을 하기 때문이다. 주어진 일을 제대로 하는 것 doing things right도 중요한 동시에, 방향을 잡아 옳은 일을 하는 것 doing the right things 또한 중요하다. 가까운 미래를 운영하기 위해서 관리의 활용도 있어야하지만, 조직에 지속 가능한 생명력을 불어넣기 위해서는 적응의 탐색을 통해 가능하다.

양면성 이론과 리더십 이론을 결합하고 양면성을 팀과 개인 수준에서 살펴보기 위해 양면적 리더십 ambidextrous leadership이 나왔다. 고사성어로는 양수겸장 兩手兼將이라는 표현으로 눈앞의 문제 해결뿐만 아니라 미래의 비전 추구라는 두 가지 역할을 동시에 수행할 수 있는 리더의 모습이다. 양면적 리더는 양자 택일의 접근 보다는 양자 포용의 접근에 가깝다. 갈등과 모순을 처리할 수 있는 역설적인 능력을 갖추고 있는 것이다. 양면적 리더는 경영 과정에서 직면할 수 있는 대립적인 목표, 갈등 요인을 잘 파악한다. 갈등을 회피하기 보다 적극적으로 해결하려는 자세를 가지고 있다. 다중적인 과업 multi-tasking이 가능하다. 또한 기존에 보유하고 있는 지식과 기술 등의 전문성을 정교화 시킬 수 있는 동시에 그 폭을 넓힌다. 해당 분야의 지속적인 학습을 지향하는 숙련 학습 upskilling 뿐만 아니라 다양한 분야의 도전적인 학습을 지향하는 재학습 reskilling의 전문가이다.

양수겸장은 동양의 음양 철학과 그 본질을 같이 한다. 음양 철학은 보편적인 현상이 두 개의 대립되는 에너지인 음과 양의 통합으로 형성된다고 본다. 음양 철학은 세상을 전체론적, 역동적, 변증적으로 설명한다. 서로 반대되고 분리되는 것처럼 보일지라도 상호 의존적이며 상호 보완적으로 전체를 구성하고 있다고 본다.

양면적 리더는 혁신 중심에 있는 사람이기 때문에 상황과 요구에 따라 적합한 행동을 수행할 수 있어야 한다. 먼저 개방적 리더 행동 opening leader behaviors을 갖춰야 한다. 개방적 리더는 다양한 방식의 업무 처리를 격려하고, 다양한 아이디어가 나오도록 지원하며 새로운 시도 자체를 지지한다. 개방적 리더 행동은 구성원들 행동의 다양성을 높이며 탐색 활동을 촉진한다. 그 다음은 폐쇄적 리더 행동 closing leader behaviors이다. 폐쇄적 리더는 규칙과 기준을 명확히 설정하고, 일상적 업무 완성에 신경쓰고, 조정 및 목표 관리에 집중한다. 폐쇄적 리더 행동은 단기 목표 달성에 중점을 둔 활용 활동을 촉진할 수 있다.

결국, 양면적 리더는 상황에 따라 개방적 행동과 폐쇄적 행동을 전환하면서 수행할 수 있는 유연함을 가져야 한다. 개방적 행동에만 치중하면 발생할 수 있는 실패로 조직의 갈등과 혼란을 일으키기 쉽다. 폐쇄적 행동에만 치중하면 자칫 집단적 사고로 경직되어 창의적인 아이디어를 공유하기 힘들게 된다. 조직이 지속 가능한 생존과 성장을 추구하기 위해서는 상황에 따라 적절한 행동을 선택하고 전환할 수 있는 유연성이 중요하다.

<같이 논의해 보면 좋을 질문들>

1. 조직이 수익성 개선을 위해 매출만큼이나 복잡성을 잘 관리해야 하는 이유는 무엇인가?
2. 조직이 복잡성을 관리하기 위한 단기 전략과 장기 전략 각각의 특징은 무엇인가?
3. 복잡성을 최대한 조직 내부로 끌고 들어와 원인을 파악하고 해결하는 것이 효과적인 이유는 무엇인가?
4. 복잡성을 두고 리더와 구성원들 간 인식의 차이가 큰 이유는 무엇이라고 생각하는가?

5. '양면성'의 개념은 무엇이고 왜 중요하다고 생각하는가?
6. '활용'과 '탐색'의 차이는 무엇이고, 활용과 탐색의 균형은 어떻게 가능한 것일까?
7. '양손잡이 조직'의 2가지 특징과 각각의 특징은 무엇인가?
8. 양면적 리더십 즉, '양수겸장'의 모습의 특징은 무엇인가?
9. 양면적 리더가 상황과 요구에 적합한 행동을 하기 위해 갖춰야 할 것은 무엇인가?

★ ′인생을 리더십 실험실처럼 영위하자.
리더십은 실험 예술이며, 우리는 모두 연구자이다.′
System 관점에서 적응력(adaptability)을 정리해 봅니다.

1. Enabling change (활성적 변화 조성)
- 적응에 적합한 공간을 조성하고 그 안에서 실험을 단행함으로써 변화를 시도합니다.

2. Protecting legacy (기존의 고유 목적과 가치 보존)
- 변화에 과거의 지혜를 활용해야 할 때도 있습니다.
중요한 것은 보존할 수도 있어야 합니다.

3. Respecting diversity (새로운 다양성과 포용성의 존중)
- 다양한 관점을 존중해야 합니다. 그래야, 중앙집권적 계획과 소수에 대한 의존성으로부터 자유로울 수 있습니다.

4. Taking time (변화는 기술과 의지의 예술)
- 남의 학위취득에는 ″야~벌써 시간이 그렇게 흘렀나?″라고 말하지만, 자신의 업무 중에는 ″이제 겨우 오후 3시야?″라고 투덜거립니다. 변화에는 기술뿐만 아니라 강력한 의지와 시간이 필요합니다.

3. 적응에 필요한 긴장감, 경쟁적 협력 coopetition

출처: https://medium.com/@cliff.mills1/cooperation-not-competition-db0f3ad3b6a2

자신과 조직을 떠올리면서 대답해 보길 바란다.

'나와 우리는 경쟁이 필요한 상황에서는 경쟁을 한다.',

'나와 우리는 경쟁할 때와 협력할 때를 잘 구분할 줄 안다.',

'나와 우리는 경쟁을 하다가도 필요하다면 기꺼이 협력한다.'

경영에서 경쟁은 중요하다. 하지만, 경쟁은 조직 내부의 응집은 키워주지만, 외부와의 소통은 감소시킨다. 우리 쪽인 '인 그룹 in-group'과 상대 쪽인 '아웃 그룹 out-group'을 철저히 구분하여 상대를 밟고 일어서야 승리한다는 경쟁의식이 커진다. 경쟁의식은 내부 관행의 답습을 미덕으로 여기게 만든다. 내 사람, 내 편을 더욱 챙기게 만든다. 이로 인해, 조직의 다양성은 제약되고 변화의 無감각성을 키운다.

경쟁적 협력 coopetition은 협력 cooperation과 경쟁 competition의 합성어로 경쟁과 협력이 공존하는 관계를 말한다. 경쟁적 협력이라는 용어는 게임이론을 기반으로 네일버프 Nalebuff와 브랜든버거 Brandenburger가 만든 개념으로 경쟁자가 동시에 보완자가 되는 것을 말한다.

경쟁적 협력의 전제는 경쟁에서 이기는 것이 선부가 아니라, 가치를 창출하는 것이 우선이라는 것이다. 가치를 창출하기 위해서는 경쟁자에게도 손을 내밀 수 있은 것이 경쟁적 협력의 출발이다. 경쟁적 협력은 개인의 특질보다는 키울 수 있는 능력이다. 자신의 상황을 잘 파악하고 관리하면서 경쟁과 협력을 통합하고 실행할 수 있는 능력이다.

조직은 경쟁과 협력의 딜레마를 극복하기 위한 경쟁적 협력 시스템을 구축해야 한다. 협력이 필요한 경우에는 협력을, 경쟁이 필요한 경우에는 경쟁을 유도하여 유기적으로 전체 최적화가 형성되도록 노력해야 한다.
딜레마 속성을 동시에 관리할 수 있는 조직이 역동성과 유연성이 뛰어나기 때문에 좋은 성과를 만든다. 경영에서는 '전략적 제휴'라는 이름으로 글로벌 超경쟁 환경에서 확산되고 있다. 경쟁적 협력은 경영 환경의 불확실성의 증가와 이해관계자들 간의 복잡한 관계에서 비롯된 것이다. 빠른 기술의 변화와 경쟁의 시대에서 우리 조직이 모든 지식과 기술을 학습하고 개발한다는 것은 불가능하다. 경쟁 관계에 있을 지라도 조직의 생존과 성장을 위해서는 전략적 차원의 협력 관계를 구축해야 한다.

경쟁적 협력은 구성원들 사이에서도 중요한 개념이다. 팀 내 목표를 달성하기 위해 구성원들은 서로 협력도 하지만, 성과평가에 따른 보상 차별을 위해 경쟁 하기도 한다. 팀 내에서는 100% 순도의 협력, 100% 순도 경쟁은 있을 수 없다. 경쟁과 협력이 구성원들 사이에 공존하고 있다. 기존 경쟁의 관점에서 상대를 '박멸'하려고 하다가 '공멸'을 자초할 수 있다. 반대로 협력만 강조한 나머지 경쟁을 배척하면 대안을 통한 조직 역동성을 기대하기 어렵다.

복잡계 이론의 자기조직화 개념에서 경쟁적 협력을 살펴보면, 환경이 불확실하고 복잡해 질수록 조직 내 구성원들은 긴장감을 느낀다. 긴장 자체는 행동을 위축시키지만 조직의 변화 과정에서 발생하는 갈등과 긴장은 적응적 긴장 adaptive tension을 촉진시킨다. 구성원들은 정보와 지식 학습을 더욱 활발히 하면서 기존에 없던 방식으로 상호작용한다. 역동적인 상호작용은 조직 내 非선형성을 보이면서 변화와 혁신 활동으로 확산된다. '수동적 긴장'은 어깨를 움츠리게 만들지만, '적응적 긴장'은 다른 사람과 어깨동무를 하게 만든다.

경쟁적 협력은 각 구성 요인들이 끊임없이 서로 자극하며 진화하는 과정인 복잡계 이론의 공진화 개념과도 통한다. 사업부 간 협력 관계도 필요하지만, 고착화되는 경우 조직 경쟁력이 저하될 수 있다. 조직 내 경쟁 원리를 도입하고 협력과 경쟁 간 상호작용을 촉진해야 한다. 다각화된 조직이 장기적으로도 경쟁적 우위를 만들어 낼 수 있다. 계열사끼리도 정보와 지식 및 기술을 공유할 수 있는 방법을 모색하고, 고객, 협력사와도 공유하려는 태도는 이기주의 현상을 극복할 수 있다.

복잡계 경영에서 경쟁적 협력 구축 방안으로는 첫째, 조직을 복합적 사업구조로 가져가는 것이다. 사업 간 협력을 추진하는 동시에 가치 배분에 있어서는 경쟁을 촉진하는 방법이다. 둘째, 공정한 내부 상대 평가와 명확한 보상으로 내부의 경쟁과 협력을 유발시킬 수 있다. 셋째, 조직 내부 거래에도 시장거래 메커니즘을 도입하는 것이다. 조직 안에서 생산, 공급하는 소재나 부품도 외부 시장에서 동시에 구매하는 시스템을 구축하는 것이다. 품질, 가격, 납기 측면에서 경쟁력을 높일 수 있다. 마지막으로, 중요한 역할을 하는 사람은 결국 경영진과 리더들이다. 불확실성과 복잡성이 만연한 환경에서 구성원들에게 적절하고 적합한 선택을 하도록 도와주고 방향을 제시하는 것이다. 구성원들이 자발적으로 정보를 교환하고, 행동을 선택할 수 있도록 시간과 여유 공간을 주는 것도 중요하다. 그 과정에서 경쟁과 협력이 가지고 있는 가치를 확인할 수 있다. 경영진과 리더는 적절한 이슈를 제기함으로써 조직 내 건강한 생각과 활동 등이 지속될 수 있도록 적응적 긴장 조성자 역할을 게을리 해서는 안된다.

지나치게 경직된 환경에서는 사소한 변화가 질식사 당하지만, 지나치게 무질서한 환경에서 사소한 변화는 자멸한다.

<같이 논의해 보면 좋을 질문들>

1. 경쟁과 협력의 개념을 어떻게 이해하고 있는가?
2. 우리 팀 또는 조직은 내부 응집을 유지하면서 외부 소통을 증진시키는 방법을 채택하고 있는가?
3. 경쟁적 협력이 다양성과 혁신에 어떤 기여를 하는가?
4. 경영진과 리더들은 어떻게 경쟁과 협력을 조절하고 지원하고 있는가?
5. 조직 내부 평가 및 보상 체계가 경쟁과 협력을 어떻게 유발하고 있는가?
6. 경영진과 리더가 적응적 긴장을 조성하고 조직의 유연성을 지원하기 위한 노력을 어떻게 기울이고 있는가?

4. 자율성, 유능성 및 관계성 욕구, 내재적 동기부여 intrinsic motivation

출처: Ryan, R. M., & Deci, E. L. (2000). Self-determination theory and the facilitation of intrinsic motivation, social development, and well-being.

최근 자율적이고 창의적인 업무수행을 통한 민첩한 조직을 만들고자 노력하고 있다. 이런 노력과 더불어 권한위임에 대한 관심이 높아지고 있다. 권한위임 임파워먼트 없는 민첩성은 기대하기 어렵기 때문이다. 구성원에게 업무 방식보다 업무의 목적과 가치를 강조하면서 관여가 아닌 위임을 하는 것이다. 또한 결과에 대한 책임은 리더가 명확히 가져가는 것이다.

구성원 마음 속 동기부여와 관련이 있는 심리적 임파워먼트 psychological empowerment는 성과에 긍정적 영향을 준다. 임파워먼트는 의미, 역량, 자기 결정 및 영향 등 네 가지 인식에서의 내재적 동기이다.
초기에 임파워먼트는 동기부여와 소통의 중요한 요소로 인식되어 왔다가 그 후 임파워먼트는 구조적 임파워먼트 structural empowerment와 심리적 임파워먼트로 구분되었다. 구조적 임파워먼트는 조직 차원에서 구성원에게 책임과 의사결정 권한을 부여하는 구조를 의미한다. 심리적 임파워먼트는 구성원 자신이 직무에 대해 느끼는 믿음과 관계가 있다. 따라서 심리적 임파워먼트는 구성원의 긍정적 행동을 강화하는 요인으로 작용한다. 자신감을 강화하는 일련의 동기부여 과정이다. 특히 심리적 임파워먼트는 구성원 개인과 구성원을 둘러싼 업무 환경과의 끊임없는 상호작용의 과정으로 볼 수 있다.

복잡계 리더십과 심리적 임파워먼트의 관계는 자기 결정성 이론 self-determination theory관점에서 복잡계 리더의 역할과 관련하여 설명 할 수 있다. 복잡계 리더십은 구성원 간 상호의존성, 상호작용 및 갈등을 촉진하여 조직의 학습과 변화가 가능한 활동의 장을 만든다. 구성원은 학습을 하면서 새로운 변화에 적응하는 동안 업무에 대한 가치 발견을 통해 일의 의미를 높게 인식한다. 구성원 간 발전적 토론과 학습 과정에서 자신의 역량을 더욱 크게 지각하고 강화할 수 있다. 또한 다른 구성원과 목표를 달성하는 과정에서 소속감이 증가되어, 업무의 진행 계획과 방식을 주도적으로 결정하면서 재량권과 자율성이 향상된다.

또한 복잡계 리더십을 통해 강화된 심리적 임파워먼트는 구성원의 조직 민첩성에 대한 긍정적 인식에 영향을 줄 수 있을 있다. 최근, 구성원 심리적 요인이 조직성과의 핵심 요소로 부상하고 있다. 특히 심리적 임파워먼트는 조직성과에 긍정적인 영향을 미친다는 연구 결과가 많다.

앞서 살펴본 바와 같이 복잡계 리더십은 구성원 간 상호의존성, 상호작용 및 갈등을 촉진하여 학습과 변화를 만들기 위한 장을 제공한다. 구성원은 그 속에서 교류하고 지식과 기술들을 습득하게 되면서 심리적 임파워먼트가 높아지게 된다. 복잡계 리더십 발휘가 구성원이 인식하는 심리적 임파워먼트를 높임으로써 조직 민첩성에 대한 구성원 인식을 긍정적으로 높일 것이라는 추론을 할 수 있다.

<같이 논의해 보면 좋을 질문들>

1. 나는 어떤 종류의 권한위임을 받고 있는가?

2. 구조적 임파워먼트는 구성원들이 어떻게 조직의 목표와 가치를 실현하게 돕고 있는가?

3. 심리적 임파워먼트는 내 조직의 문화와 가치에 어떻게 연결되어 있는가?

4. 심리적 임파워먼트가 조직 민첩성에 어떤 긍정적 작용을 할 수 있을까?
5, 복잡계 리더십 아래에서 구성원들은 어떻게 가치를 발견하고 자기 결정에 참여하며 역량을 향상시킬 수 있을까?
6. 우리 조직은 민첩성을 어떻게 정의하고 있으며, 민첩성을 높이기 위한 어떤 방법들을 모색하고 있는가?

★ 회전교차로, 로터리 뭐든 상관없습니다.

"임파원먼트를 말하기 전에 기본 가정이 있습니다. 구성원은 일의 자부심을 가지고 있고 효과적인 일 처리를 위해 노력하고 있다는 것입니다. 그림의 회전교차로처럼, 리더는 최소한의 규칙 정립(rule setting)과 리듬감 있는 업무진행 구조(structure)를 지원해 주면 됩니다. 이에 구성원은 자기조직화(self-organization)과정에서 최적의 방법(pattern)을 모색해 냄으로써 자신에게, 팀과 조직에게 기여할 수 있는 힘을 스스로 생성하게 됩니다."

5. 지식 창출, 공유 및 적용, 협업적 학습

협동 cooperation과 협업 collaboration를 구분해야 한다.

협동은 자신의 목적과 필요에 따라 일시적으로 함께하는 활동이다. 자신이 원하는 것을 얻었다고 생각하면 언제든지 등돌릴 수 있다. 협동은 개인적 욕구를 충족하지 못하면 그 교환 관계는 바로 소멸된다. 반면 협업은 각자 전문 역량을 모아 새로운 것을 만들어 가는 과정에 가치를 둔다. 협업의 핵심은 함께 목표로 하는 것이 씨줄 역할을 하고 각 구성원들의 행동이 날줄이 되어 새로운 변화를 만들어 가는 것이다. 따라서 협업 학습은 무에서 유를 창조해 가는 파트너십이다.

과거 교육학 연구는 구조-기능주의적 실증주의를 강조하여, 일반화되고 보편적인 법칙을 추구했다. 하지만 복잡계 이론은 학습의 복잡성과 非선형성을 받아 들인다. 학습은 개인적이고 개별적인 행위가 아니라 구성원들 간 상호작용에서 발생하는 집단적 적응 행위로 본다. 조직에서 진행하는 교육과정도 다양한 수준의 전문가와 지식, 기술 그리고 활동의 상호작용이기 때문에, 학습은 변화에 능동적으로 적응하기 위한 역동적인 역량이다.

체계적인 학습시스템을 만들기 위해서는 다양성, 중복성, 상호작용이 필요한 만큼 이에 적절한 리더 역할은 중요하다. 경영진과 리더들은 중앙 통제적 관리방식에서 벗어나 스스로 조직 또는 팀 허브로서 역동적 상호작용을 장려하고 촉진하는 역할에 필요한 학습과 실천이 필요하다. 따라서, 구성원 간 지식 공유와 학습을 활성화함으로써 변화 수용성을 높일 수 있는 유연한 리더십이 요구된다. 복잡계 리더십은 다양한 의견을 표현하고 정보와 지식을 교류하고 탐색할 수 있게 한다. 조직 맥락에 적절한 학습과 변화를 추구하는 과정에서 협업적 학습은 활성화되기 때문이다. 복잡계 리더십을 구성하는 3가지 기능을 통해서도 협업적 학습이 강화될 수 있음을 알 수 있다. 먼저 관리적 기능을 통해 공통의 학습 목표와 구성원 개인의 역할을 명확히 할 수 있다. 적응적 기능을 통해서는 난해하거나 복잡한 문제나 이슈에 대해 함께 협력하여 해결할 수 있도록 돕는다. 마지막, 활성적 기능을 통해서 그룹의 경계와 관계를 확장하여 학습이 가능하도록 한다

협업적 학습은 새로운 지식을 창출하고 상호간의 경험을 통해 통찰을 얻을 수 있는 방법이다. 협업적 학습은 구성원들 서로 연결되어 있다는 믿음과 현안을 함께 분석하고 그 의미를 찾을 수 있기 때문에 중요하다. 구성원 간 협력적 상호작용을 통해 시너지를 창출할 수 있는 집단 지성을 구현할 수 있다는 점에서 협업적 학습의 의미는 더욱 크다.

협업적 학습은 긍정적 상호의존성 positive interdependence, 촉진적 상호작용 promotive interaction 및 그룹 프로세스 group process 등의 3가지 요소로 구성된다.

먼저, 긍정적 상호의존성은 구성원 행동이 공유된 목표를 달성한다는 데 도움이 된다는 믿음이다. 또한 구성원 모두가 학습 자체의 중요성을 인식하고 있다는 것이다. 긍정적 상호의존성은 개인 및 조직 차원의 지식 수준을 유지하고 전파, 공유하는 것이다.

둘째, 촉진적 상호작용은 공유된 목표를 달성하기 위해 구성원이 상호 격려하고 상호작용하는 정도를 의미한다. 촉진적 상호작용은 정보 및 피드백의 상호교환을 통해 상대방의 관점을 수용하게 됨으로써 변화 적응에 도움을 준다.

마지막으로, 그룹 프로세스는 학습에서 효과가 있었던 것과 상대적으로 부족한 점을 회고하는 것이다. 또한 향후 취해야 할 조치에 대한 정기적 평가를 포함한다. 그룹 프로세스는 성과평가와 같이 지식과 정보의 적용 시점, 목적 및 결과를 재확인한다는 점에서 조직 학습의 이중고리 double-loop학습과 유사한 개념이다.

협업적 학습에서 중요한 것은 지식 창출, 공유 및 적용이다. 지식 창출을 통해 시장 환경의 변화를 감지하고 환경에 적합한 시스템 개발 및 전략적 유연성을 얻을 수 있다. 또한 고객 요구를 신속하게 이해하고 이를 반영한

신제품 및 서비스를 제공할 수 있다. 지식 공유를 통해 조직은 과거 경험을 조직 내에 빠르게 전파함으로써 경쟁자보다 기회에 민첩하게 반응할 수 있다. 마지막으로, 지식을 적용하면 검증이 가능하다. 검증된 지식을 가지고 새로운 제품과 서비스를 만들 수 있는 민첩성을 갖게 된다. 협업적 학습은 혁신 능력과 변화 예측 능력을 향상시킬 수 있다. 구성원들 사이에서의 정보와 지식 양을 늘리고 학습 능력을 높이는 것은 조직 성장에 매우 중요하다. 즉 협업적 학습을 통해 암묵적 지식을 상호 공유함으로써 조직에 필요한 지식을 만들고 검증된 지식이 다시 적용됨으로써 조직의 민첩성은 향상된다.

<같이 논의해 보면 좋을 질문들>

1. 협동과 협업의 차이는 무엇이고, 내가 경험한 협동과 협업은 각각 무엇인가?
2. 조직에서 진행하는 교육프로그램이 왜 역동적 역량이라고 할 수 있는가?
3. 복잡계 리더십 3가지 각각의 기능은 협업적 학습과 어떻게 연계되는가?
4. 협업적 학습의 3가지 프로세스 중 우리 팀은 어디에 강점이 있으며, 상대적으로 보완이 필요한 부분은 어디인가?
5. 협업적 학습이 활성화 될수록 조직 민첩성을 높일 수 있다고 한다. 그 이유는 무엇일까?
6. 구성원들 사이에서의 암묵적 지식 공유를 어떻게 촉진할 수 있을까? 이를 통해 어떤 가치를 창출하고 싶은가?

6. 공정성, 결과보다는 과정

지금까지 조직을 일궈낸 리더들의 DNA 중에 박혀있는 것이 있다. '그럼에도 불구하고', '어떻게 해서든지'이다. 원하는 결과를 여하를 막론하고 만들어냄으로써 보상과 보직을 받았던 것에 익숙하다. 원하는 것에 맹렬히 집중하는 결과 중심 리더십 스타일이었다. 만들면 팔리는 시대에는 목표가 정해지면 수단과 방법을 가리지 않는 불도저 리더십이 결과를 만드는데 수월했다. 결과 중심 리더십 스타일은 지금 경영 환경에서는 심각한 부정적 영향을 만들어낼 뿐만 조직 전체를 붕괴시킬 우려가 있다.

'결과'가 아닌 '과정'을 가치 있게 보는 관점이 중요하다. 결과만 좋으면 절차와 과정을 따질 필요가 없다는 '결과 정당성'사고방식이 우리를 이끌었다. 이제는 절차 공정성 process justice시대이다. 시장과 고객 중심의 일하는 방식이 핵심이다. 글로벌 超경쟁, 超연결 환경에서는 구성원들이 의사결정에 적극적으로 참여하여 창조적 변화와 혁신을 만들어야 한다. 따라서, 의사결정이 도출된 절차와 과정이 얼마나 공정했는가가 중요한 것이다.

'사실'과 '진실'은 서로 다른 힘을 지니고 있다. 추운 겨울날, 번화가를 지나다 모금함 같은 것을 내밀면서 구걸을 하는 사람이 앞에 나타났다고 해보자. 그 사람의 모습을 보면서 '추운데 먹을 것도 제대로 먹지 못하고 힘들겠구나.'라는 진실된 마음으로 측은해 할 것이다. 몇 시간 후 그 길을 되돌아 가는 중, 좀 전에 구걸하던 그 사람이 퇴근길에 오른다. 고급 승용차를 타고 내 앞을 지나가는 것이 아닌가! 사실은 기업형 구걸파 일원이었던 것이다.

'불안'은 사실을 알고 싶은 감정이다. '분노'는 진실을 말하라는 감정이다. 사람들이 광장에 나가는 이유는 사실을 알고 싶은 것이 아니다. 진실을 알고 싶은 것이다. 왜 자꾸 이런 일이 발생하는가에 대한 구조적 진실을 알고 싶은 것이다. 그런데 사실만을 가지고 즉, 결과 정당성만을 가지고 광장에 모인 사람들을 답답해 하는 것은 절차 공정성에 대한 민감도가 낮은 것이다.

지금의 경영 환경은 작은 의사결정이 조직에 어떤 결과를 초래할 것인지 가늠조차 어렵다. 그렇기 때문에, 과정에서 사람들의 목소리와 생각을 담아야 한다. 발생할 수 있는 의견차이, 갈등, 긴장, 충돌 등을 꺼내놓고 절차에 초점을 맞춰야 한다. 구성원들의 수용성을 높이는 것이 중요하기 때문이다. 의사결정 기준과 절차의 사전 공유와 철저한 적용이 핵심이다. 의사결정 과정에서 구성원의 참여를 독려하고, 반론이 있을 경우 재검토할 수 있는 여유 등이 절차 공정성을 보장해 준다.

저자가 공정성과 관련하여 관심을 가진 개념은 상호작용 공정성 interactional justice이다. 상호작용 공정성은 리더가 의사결정을 하는 과정에서 구성원에게 공정 했느냐를 보는 것이다. 리더 개인의 편견을 배제하고 의사결정을 일관되게 하고 있는지를 본다. 시의 적절한 피드백을 잘 하고 있는지에 대한 구성원의 인식을 확인한다. 구성원들의 가장 강력한 교환 관계 대상자는 리더이다. 구성원들의 행동 결정에 결정적 역할을 하기 때문이다. 특히 집단주의적 성향이 상대적으로 강한 우리의 정서적 측면을 고려할 때 상사와의 관계 과정에서 느끼는 공정성은 구성원 행동에 큰 영향을 준다.

상호작용 공정성의 핵심 요소는 존중의 관계와 정보의 공유이다. 리더가 구성원들을 존중해 주고 투명하게 객관적인 정보로 소통 하면서 의사결정을 내릴 때, 구성원은 진심으로 자신의 능력을 발휘한다. 구성원 자신이 공정하게 대우를 받고 있다는 마음의 씨앗이 뿌려졌을 때 리더 신뢰라는 줄기가 자라난다. 나아가 팀과 조직에 도움되는 행동이라는 열매를 맺게 된다.

<같이 논의해 보면 좋을 질문들>

1. 현재 우리 조직은 결과 중심 리더십 유형을 선호하는가? 이 유형이 가져다 줄 수 있는 폐해는 무엇일까?

2. 우리는 절차 공정성과 절차 중심의 가치를 강조하고 있는가? 이러한 가치가 조직 문화에 어떤 영향을 미치고 있는가?

3. ′사실′과 ′진실′을 어떻게 구분하고 인식하고 있는가? 언제 ′사실′에 집중하고 언제 ′진실′에 주의를 기울이는 것이 중요한가?
4. 의사결정 과정에서 구성원들의 목소리와 생각을 담아야 하는 이유는 무엇인가?
5. '상호작용 공정성'의 개념은 무엇이고, 나 스스로는 상호작용 공정성을 어떻게 인식하고 있는가?
6. 상호작용 공정성의 요소가 '존중의 관계'와 '정보의 공유'인 이유는 무엇이며, 존중 관계와 정보 공유를 통해 리더 또는 조직에 주는 긍정적 영향은 무엇인가?

7. 민첩성, 스피드와 유연함

민첩성 agility은 얼마나 빨리 하느냐의 속력의 문제가 아니다. 변화를 기회로 만드는 행동이 관건이다. 불확실하고 복잡한 경영 환경을 극복하기 위해 민첩한 조직 agile organization이라는 개념이 제시되었다. 20세기 양적 효율성 시대는 저물었다. 21세기 새로운 조직 개념으로 조직 민첩성 organizational agility을 강조하고 있다. 조직 민첩성은 조직 성장을 위해 환경 변화를 잘 다룰 수 있는 능력이다. 조직 민첩성을 제대로 이해하고 활용하는 것은 차별적 경쟁력을 강화할 수 있는 최선의 방법이다.

조직 민첩성은 조직 내·외부의 변화를 감지하는 동시에, 지속적인 학습을 통해 기회를 찾는 역량이다. 조직 민첩성은 시장과 고객 요구 및 기회를 빠르게 포착하는 프로세스와 조직의 지식 관리 시스템을 통합하는 것이다. 따라서, 조직 민첩성을 높이기 위해서는 새로운 경영관리 방법이 필요하다.

2018년 McKinsey에서 애자일 조직의 5대 특성으로 첫째, 전사적 비전 공유, 둘째, 자율, 수평적 임파워먼트 팀, 셋째, 신속한 의사결정과 지속적 학습, 넷째, 동기와 열정을 일깨우는 역동적 구성원, 마지막으로, 차세대 기술력을 꼽았다. 조직 민첩성의 핵심은 미리 정해진 계획 이행이 아니라, 행동을 통한 새로운 발견과 발굴에 가깝다. 환경 변화의 감지, 탐지 능력과 예상치 못한 상황 전개에 개방적이고 탄력적인 대응이다. 이를 위해, 신속한 전사적 소통과 의사결정이 필요하고, 유연한 행동 개선을 위한 지속적 학습이 중요한 것이다.

복잡적응시스템은 각 시스템을 구성하고 있는 요인들 간 상호작용을 통해 새로운 변화를 만드는 것이다. 조직은 역동적인 시스템 dynamic systems으로 움직여서, 구성원은 그 속에서 상호작용하면서 조직 전체의 효율성과 적응성을 증진시킨다. 복잡적응시스템은 조직의 적응과 변화에 필요한 공간을 만든다.

또한 조직은 상반되는 개념인 안정과 변화 양쪽 모두를 지원하고 촉진할 수 있어야 한다. 기존의 환경을 활용하는 동시에 새로운 환경을 탐색할 수 있는 능력을 갖추는 것이 조직 민첩성의 핵심이다. 따라서 복잡계 리더십은 조직 민첩성을 갖추는데 중요한 역할을 한다. 복잡계 리더십의 큰 축인 표준화, 정렬 및 관리와 같은 질서를 지원함으로써 생산성과 효율성을 만들어 주는 관리적 기능과 새로운 기회, 신제품 및 서비스 등 학습과 혁신을 만드는 또 다른 축인 적응적 기능의 균형이 조직의 민첩성에 매우 중요하다.

조직 민첩성 organizational agility과 구성원 민첩성 employee agility은 상호 영향을 주고 받게 된다. 조직과 개인은 밀접하게 상호작용을 하고 있으며 개인 인식의 합은 결국 조직과 같다. 그동안 조직 민첩성에 영향을 주는 요인에 대한 연구를 살펴보면, 주로 전략, IT기술 및 시스템과의 관계를 규명해왔다. 조직 민첩성 제고 방안으로 조직 구조 변경과 제도 도입에 집중한 나머지, 구성원의 저항을 오히려 가중시키는 경우가 많았다. 다양한 전략, 계획 및 제도가 준비되더라도 조직 안에서 강력하게 작동하고 있는 문화, 구성원의 마인드 및 일하는 방식 등이 뒷받침되지 않으면, 조직 민첩성을 기대하기 어렵다. 이 때문에, 장기적 계획 수립보다 지속적인 변화 과정을 만들 수 있는 조건이 중요해진 것이다. 새로운 리더의 역할 정립 및 구성원 중심의 프로세스를 통해서 조직 민첩성을 올릴 수 있는 방안에 대한 요구가 그 만큼 높아졌다.

구성원 민첩성은 조직의 보상, 교육, 권한 부여, 시스템 등에 영향을 받는다. 또한 조직 내 협력 관계 및 조직 구조 등 조직 특성에도 영향을 받는다. 중요한 사실은, 구성원이 민첩성을 갖춘다는 것은 조직 민첩성을 갖추는 것과 직결된다.

구성원 민첩성은 예상치 못한 변화에 신속하게 적응하고 그 변화를 기회로 전환할 수 있는 행동이다. 책임을 받아들이는 자세와 자기 성장의 긍정적 태도 및 변화 적응 능력을 포함하고 있다.

특히 민첩성을 갖춘 구성원은 다음과 같은 행동적 특징을 보인다.

첫째, 자신의 업무 경계를 뛰어넘어 기회를 포착하려는 주도성을 가지고 있다. 둘째, 외부의 지식과 기술이 팀 또는 조직 내부에 스며들도록 하는 연결자로서 역할을 한다. 마지막으로 불확실한 스트레스 상황에서도 동료들과 협력적이며 오히려 그 과정에서 기회를 찾으려 한다.

그렇다면 구성원 민첩성 제고를 위한 리더의 역할은 무엇일까? 복잡계 리더십은 구성원들의 민첩한 행동에 긍정적 영향을 준다. 복잡계 리더십은 구성원들 간의 상호작용에 초점을 두고 있다. 복잡계 리더는 변화에 대한 요구가 그 만큼 다양하기 때문에 구성원들은 적응적 긴장 adaptive tension을 경험하게 된다. 이러한 적응적 긴장감은 구성원들의 변화 각성을 불러 일으키면서 빠르게 환경 변화에 적응하고자 하는 생각과 행동을 촉진한다. 그렇기 때문에, 복잡계 리더는 변화에 적절한 갈등을 촉진함으로써 생산적인 논의를 활성화시키고, 실패를 하더라도 지속적으로 긍정적 태도를 유지하도록 돕는다.

<같이 논의해 보면 좋을 질문들>

1. 조직 민첩성의 개념은 무엇이며, 조직 민첩성 이해와 활용이 주는 혜택은 무엇인가?
2. 조직 민첩성의 핵심은 '안정'과 '변화' 양쪽 모두를 지원하고 촉진하는데 있다. 조직 민첩성 핵심이 복잡계 리더십과 연계되는 이유는 무엇인가?
3. 구성원의 민첩성을 갖추는 것은 조직 민첩성을 갖추는 것과 직결된다고 한다. 그 이유는 무엇인가?
4. 민첩한 구성원의 특징 중, 나 스스로 가장 보완하고 싶은 특징은 무엇인가?
5. 리더로서 '적응적 공간'을 만들어 본 경험이 있는가? 구성원으로서 '적응적 공간'을 경험해 본 적이 있는가? 그 때 상황은 어떠했나?
6. 어떻게 조직 문화, 리더십, 보상 시스템 등을 개선하여 민첩성을 더욱 높일 수 있을까?

[9장. 세상은 그야말로 복잡계]

복잡계는 멀리 있거나 특별한 것이 아니다. 우리가 사는 세상이 복잡계이다. 작거나 크게 또는 짧거나 길게 언제든지 어디서나 만날 수 있는 것이 복잡계이다.
우리 주변의 현상들과 복잡계를 연결 지어 살펴보면 이해하는데 도움이 될 것이다.

1. 붉은 악마와 복잡계

어느덧 20년이 넘게 흘렀다. 대한민국 붉은 악마의 뜨거운 응원전 자체였던 2002년 월드컵 이야기이다. 국민의 자발적 태동으로 만들어진 거리응원전은 평생 추억으로 남아있다. 무엇보다, 대한민국 사회의 역동성을 관찰할 수 있는 멋진 기회였다.
그렇다면, 그 시절 월드컵 분위기를 똑같이 다시 연출해 낼 수 있을까? 답변은 불가능하다이다. 다만 2002년 월드컵 그 상황의 고유한 맥락적 특성과 조건들의 상호작용이 다시 한번 똑같이 준비되어서 반복 되었을 때는 가능하다. 불가능하다는 얘기다.

복잡계 이론으로 2002년 월드컵 길거리 응원의 과정을 살펴보면 흥미롭다.

IMF 구조조정 이후의 후유증, 계속되는 취업난, 여전히 수직적이고 경직된 조직문화 등 그 당시 우리나라를 둘러싼 환경은 상당히 힘든 상황이었다. 때문에, 많은 사람들의 마음 속에는 불안, 분노, 울분 등이 있는 상태였다. 용광로 같은 분위기 상황에서, 한국과 일본 공동개최라는 빅 이벤트 場이 열린 것이다. 또한, 16강 진출이라는 국민적 염원 이 더해져서 대한민국은 혼돈의 가장자리에 놓인다. 특히 광장에서 응원을 펼치는데 관심이 폭발하면서, 붉은 티셔츠와 응원가, 각 종 소품 등 다양한 도구들이 등장하는 긍정적 피드백 고리가 만들어 지면서 그 분위기는 최고조에 다다른다. 열린 시스템 자체였던 붉은 악마는 붉은 티셔츠 한 장과 간단한 몸짓만으로 소속감을 갖게 하였고, 여기에 인터넷이라는 온라인 플랫폼과 접목되면서 붉은 악마 길거리 응원은 무한 자기복제를 통한 프랙탈 구조를 만들었다.

화룡점정으로, 대한민국 대표팀의 환상적인 플레이와 드라마같은 승리는 대중매체의 집중과 파급을 불러일으켰다. 이로 인해, 거대한 붉은 악마 응원단이 팽창되는 임계점이 출현했고, 다시는 만나기 어려운 뜨거운 붉은 악마의 함성은 모든 조건들과 상호작용하면서 새롭고 독특한 길거리 응원 문화로 창발된 것이다.

2. 밈과 복잡계

밈 meme은 리처드 도킨스의 <이기적인 유전자>에서 제시된 용어이다. 문화 공유의 단위 또는 모방의 단위 개념이 필요한 상황에서, 문화 공유에서 유전자와 비슷한 복제 기능을 가진다는 것을 확인한 것이다. 따라서, 모방의 뜻인 그리스어 mimeme와 유전자 gene의 발음을 빗대어 밈 meme이라는 단어가 탄생한다.
최근 유행하고 있는 영상과 사진 등이 재가공되고 재생산되는 과정은 새로운 트렌드와 사회현상을 만드는 파급효과를 가진다.

복잡계에서도 이러한 자기 닮은꼴 복제 현상을 프렉탈이라는 개념으로 설명한다. 강력한 변화 전에는, 요인들 간의 끊임없는 상호작용으로 만들어진 미약한 질서가 보이기 시작한다. 기존의 작은 점들과 몇 개의 선만으로는 설명하기 역부족이지만, 반복되는 시간이 지나면 입체적인 구조를 발견하게 되는데 그것이 프렉탈이다. 세상을 복잡하게 흔들어 놓았던 정치, 경제 및 사회현상들도 그 속을 들여다보면 풍부한 프렉탈 구조를 확인할 수 있다. 이 구조들은 우리에게 통찰력과 교훈이라는 선물을 준다.

조직이 새로운 경영 철학, 비전 및 운영 체계를 수립하고 공유할 때, HR의 역할을 프렉탈 관점에서 설명할 수 있다. 건강한 조직을 만들기 위한 조직 내 비밀 결사대를 만들어 그 역할을 재생산 또는 확장시킴으로써 변화와 학습에 필요한 구조를 만드는 것이다. 구체적으로 이러한 구조를 만드는데 필요한 것은 다음과 같다. 첫째, 현재 조직이 직면하고 있는 경영 환경 및 연결 상태의 복잡성 자체를 포용하는 것이다. 둘째, 한 발짝 뒤에서 그 연결 사이를 관통하는 낯설지만 새로운 질서를 이해하는 것이다. 셋째, 조직에 필요한 변화와 학습을 추진할 수 있는 결사대를 구성하는 것이다. 넷째, 새로운 에너지를 받아들이고 조직 내 지속적으로 전파할 수 있는 환경을 지원하고 촉진하는 것이다. 마지막으로, 끊임없이 결사대 요원들을 발굴하고 육성하는데 힘을 쏟는 것이다.

조직에 새로운 변화 바람이 불고 있다. 조직에 적합한 혁신, 변화라는 것은 자율적인 구성원들 사이의 소통 속에서 리더의 적절한 에너지의 유입을 통해 만들 수 있다는 것을 이해하고 실천해야 한다.

지시와 통제로 끌고 가던 시대는 썰물이 되었고
지혜와 통찰로 끌어 내는 시대가 대세가 되었다

★사례

흥미로운 사례로 가수 비의 깡 뮤직비디오의 밈 현상을 다음과 같이 복잡계 이론으로 풀어볼 수 있다.

'우리는 혼돈의 끝자락에 몰려있었다!'

2020년 대중들은 COVID-19 고통에 허덕이고 있었다. 막연한 두려움에서 촉발된 COVID-19으로 모든 것이 정지된 느낌과 무기력함을 통해 분노로 치닫게 된다. 처음에는 확진자 개인을 향한 무차별 공격을 하다가, 모든 일상이 정지되기 시작하면서 우리의 문제로 간주하기 시작했다. 계속 참고 견뎌야 할 것들이 많아지면서 조금씩 분노가 쌓이기 시작했다. 그야말로 '하나만 걸려라..' 생각들이 팽배해진 것이다. 이것이 복잡계에서는 혼돈의 가장자리이다.

이러한 사회문화적 맥락 기저에서 특이한 현상이 벌어지게 된다. 기존 세대가 가수 비에 열광 했었던 포인트 3가지, 조금의 허세, 진지함 또한 어울리지 않는 귀여운 행동들이 지금의 세대들을 강하게 자극하는 작은 에너지로 작용한다.

'너도 그렇게 생각해? 내 생각도 그래!'

이러한 공감과 동조 현상은 공명의 場을 형성하게 되어 일명 '댓글 놀이'로 국면 전환이 된다. 실제 유튜브를 살펴보면 15가지가 넘는 비의 뮤직비디오 버전이 존재하고 있음을 알 수 있다. 즉, 온라인상에서 무한 자기복제를 통해 허리케인과 같은 뜨거운 이슈로 창발한 것이다.

'나의 작은 의견도 대중들 덕분에 실제 반영 되는 신기함!'

비의 동영상에 달린 댓글들을 보면 댓글의 또 다른 댓글이 달리는 등 그 안에서의 긍정적 피드백 고리가 강하게 작동한다. 재미있는 말 뿐만 아니라, 삶의 철학까지 언급된다. 영상과 댓글이라는 맥락 속에서 자신 삶을 반추하게 되었다는 새로운 변화까지 확인할 수 있다.

'공중파로 마무리!'

결정적으로 한 예능 프로그램이 강력한 끌개 역할을 한다. 가수 비의 현란했던 과거와 지금까지의 스토리를 만들어 보여주었다. 이러한 모습은 대중들을 집중시키면서도 비가 가지고 있을 인간미를 찾도록 만든다. 즉, 언론의 끌개 역할로 말미암아 대중들은 자기조직화를 통해 가수 비라는 사람에 대해 새로운 시각을 가지게 되는 경험을 한다.

'복잡적응시스템이 제대로 작동한 결과'

요즘 세대들이 보여준 이러한 현상을 그들의 심리 보상 활동이라는 관점으로만 이해하지 않는 것이 중요하다. 시스템을 구성하고 있는 다양한 요인들이 상황에 맞는 상호작용한 결과라는 역동적 관점에서 해석할 필요가 있는 것이다.

3. 재난 극복과 복잡계

망망대해 유조선 좌초로 인한 기름유출 사고는 어마어마한 피해를 가져다준다. 그 만큼 전형적인 복잡계 특성을 보인다. 사고 발생 초기, 해류의 흐름 예측 실패로 혼돈이 가중될 수 있다. 사고 처리에 필요한 유관 기관의 상호 연계 미숙으로 멘붕의 상태가 만들어질 수도 있다. 이를 복잡계에서는 초기 조건의 민감성으로 설명한다.

MIT 기상학과 로렌츠 Lorenz 교수가 기상 현상을 시뮬레이션 하던 중 아주 작은 초기 조건의 변화가 매우 큰 혼돈적 행태를 보인다는 것을 나비효과로 명명하였다. 다시 기름유출 사고로 돌아가서, 사건 발생 이후에 지역 긴급구조 조종 본부가 설치되고 군인, 경찰, 지자체 공무원 등의 동원 준비가 갖춰지면서 기름유출 이슈는 혼돈의 가장자리로 이동된다. 또한 환경문제에 대한 국민들의 관심과 참여가 높아져 방송과 인터넷 매체의 정보 제공과 공유가 시작된다. 이 과정에서 언론은 끌개 역할을 하며 지속적인 학습과 피드백을 활성화 시킨다. 자원봉사자들의 자발적 참여가 촉진되면서 복잡계의 창발현상의 계기가 된다. 즉, 대단위 방제 작업이라는 새로운 질서가 형성된다.

자발적 참여의 지속성, 환경보호에 대한 방향성, 이해관계자들 간의 지속적인 피드백 및 적응 과정을 통해 이슈는 조금씩 해결되기 시작한다. 이러한 해결 과정에서 겪게 되는 非효율적인 관리의 문제들이 대두되면서 향후 개선활동으로 연결 된다. 이와 같이, 높은 불확실성 속 혼돈이 가중된 문제를 해결하기 위해서는 복잡계 구성요소를 고려하여 관리하는 매우 중요하다.

돌발적 재난에 효과적으로 대처할 수 있는 복잡 적응 시스템 방식 운영에는 투명하게 정보를 공유하고 전문가와 관련된 사람들의 효과적인 의견 수렴이 핵심이다. 모두가 개방적 태도로 의사결정에 참여하는 문화가 중요한 이유이다. 계속해서 조직과 사회는 복잡계 구조에 적합한 문화와 시스템을 갖춰나가야 한다.

반응하고 대응만 하는 소극적 접근에 그치지 말고
점검하고 성찰을 하는 적극적 접근에 관심을 갖자

4. 애자일 경영과 복잡계

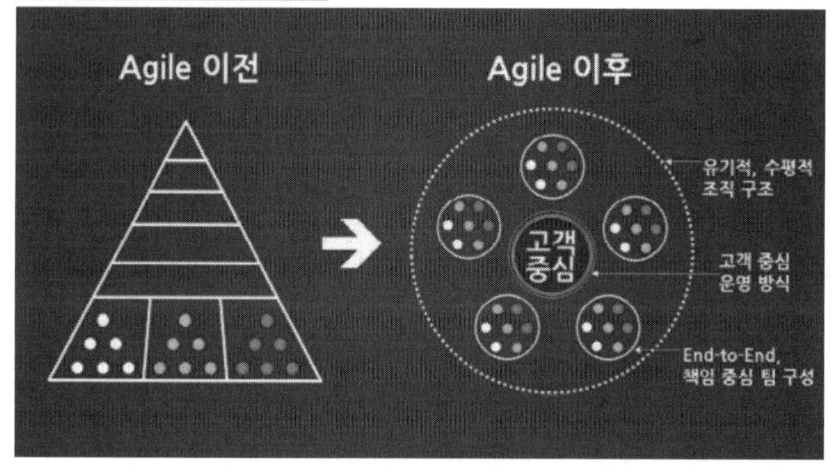

출처: 매일경제 경영계 新키워드 '애자일(Agile)' 인력·자원..카멜레온처럼 변신하라(2018)

큰 물고기가 작은 물고기를 잡아먹는 시대에서 민첩한 물고기가 둔감한 물고기를 잡아먹는 시대로 바뀐다. 애자일 경영은 시장의 변화에 발 빠르게 대응하는 민첩한 조직으로의 전환과 동시에 자발적이고 창의적인 조직 문화를 정착시키겠다는 의지이다. 애자일 경영은 새롭게 일하는 방식을 통한 조직의 변화와 혁신이다.

보수적인 금융업, 제조업이 애자일 경영을 선포하는 모습을 보고, 애자일을 트랜드로 적용하려고만 한다고 답답해 하는 사람들이 있다. 하지만 애자일의 핵심을 이해하는 사람이라면 금융업과 제조업에서 왜 애자일 경영을 강조하고 있는지 이해할 수 있다. 매일 새로운 데이터와 정보들이 생성되고 생소한 기술들이 나왔다 사라지는 시장에서 고객의 요구에 적합한 상품과 서비스를 선보이기 위한 기민한 움직임은 생존과 직결된 것이다. 이제는 단순 제조가 아닌 복잡 창조의 시대이다. 애자일 경영은 고객을 중심으로 사람 중심의 철학과 문화를 만들자는 생존과 성장에 대한 얘기인 것이다.

애자일은 불확실성에 대한 해법으로 자연스럽게 공유된 기법이자 철학이다. 2001년 '애자일 agile' 용어를 선택한 17명의 소프트웨어 전문가들이 모여 공유한 가치와 원칙을 담은 애자일 선언문은 인간 중심과 생산성을 동시에 추구하자는 것이다. 또한 애자일협업의 과정에서 그 의미를 찾는다. 이렇듯, 함께한다는 것은 복잡계의 서로 다른 요인들이 역동적으로 상호작용하고 피드백을 주고 받으면서 새로운 질서를 만들어가는 것과 통한다.

애자일을 조직 안에서 애자일을 제대로 작동시키는데 있어 유의해야 할 5가지를 다음과 같이 제안 한다.

첫째로 유의해야 할 것은 애자일의 근본 없는 차용(借用)이다.

앞에서 언급하였듯이 애자일은 방법론을 포함하고 있는 철학과 마인드 셋이다. 우리 조직이 진정으로 애자일 방향성에 동의하고 공감하고 있는지에 대한 확신이 먼저이다.

둘째, 무분별한 도용(盜用)이다.

애자일은 기성품이 아니라 우리 조직에 가장 적합한 방식과 형태로 만들고 진화하는 과정이다. 타사 벤치마킹을 통해 겉모습만을 따라 가다가는 진짜 우리의 것이 무엇인지, 제대로 작동되고 있는지조차 판단할 수 없는 상황에 이르게 된다.

셋째, 나몰라라 미용(美用)이다.

애자일을 조직 활성화 활동으로 간주하여, 주변 물품과 시설들을 치장하는데 많은 비용과 시간을 투자하는 모습을 목격하게 된다. 널찍한 공간과 그럴싸한 화이트 보드, 여기저기 붙어있는 포스트 잇 덕택에 몇 번의 벤치마킹 대상은 될 수 있다. 하지만, 정작 애자일 팀의 주체자들은 현란한 주변 장식에 혼을 뺏겨 방황하게 될 수 있다.

넷째, 난데없는 활용(活用)이다.

애자일은 빠르게 많이 일하자는 것이 아니다. 문서를 계속해 서 빨리 수정해서 가져오는 것은 더더욱 아니다."어이! 애자일 안배웠어? 빨리 빨리 움직여!"라고 누군가 외치는 순간 구성원들은 자신 각자의 자리(은신처)로 숨을 것이다. 다시는 먼저 움직이려 하지 않을 것이다.

마지막으로 책임 없는 적용(適用)이다.

애자일의 꽃은 계속 시험해 보고 그 과정에서 성찰하고 학습하는 것이다. 애자일을 자칫 책임이 누구에게도 없는 無정부상태로 오해 한다. 하지만 애자일은 명확한 책무성을 중심으로 다양한 시도와 학습이 공진화하는 조직화된 無정부로의 방향을 지향한다.

애자일은 형식과 구조만으로 성공할 수 있는 것이 아니라, 반드시 현재라는 현실을 토대로 통합적으로 접근해야 한다. 그 통합적 접근의 성공 핵심 주체자는 바로 사람이다. 애자일을 우리 조직에 가장 적합한 형태, 스타일 및 문화로 승화시키는 과정에서 사람들 간의 상호의존성, 상호작용 등의 역동성이 필수인 이유이다.

새롭게 일하는 방식을 요구하는 일등공신은 새로운 기술이 아니라
오늘도 변화하고 있는 고객과 우리 자신, 즉 사람에게 있는 것이다

★ 리듬감 있게 일하는 민첩한 업무 방식 Tips

1. 주변을 살피며 나를 둘러싼 환경 감지하기
2. 단기 실적에 목숨 걸지 않고 고객 가치에 집중하기
3. 전체 팀의 속도를 감지하며 양보하거나 주장하기
4. 나의 속도는 주변과 더불어 공진화하는 속도임을 잊지 말기
5. 자신의 존재감을 나타낼 수 있는 용기 가지기

5. 조직 설계와 복잡계

조직 설계 organizational design는 조직의 변화를 목표로 새로운 구조와 체계를 설계하는 것이다. 조직 설계를 통해 조직은 더 높은 성과를 창출할 수 있는 구조로 전환하게 된다. 조직 설계는 외적 정합성과 내적 정합성 등 2가지 접근을 포함한다. 외적 정합성은 외부환경 변화에 따른 적응 정도를 의미하며, 내적 정합성은 조직 내 구성요소들 간의 조화로운 상태를 의미한다.

모두 중요한 개념이지만 복잡계 관점에서 생태계 ecosystem를 포함하고 있는 '외적 정합성'을 중심으로 실천해 볼 수 있는 5가지를 소개한다.

첫째, 건강한 조직의 복잡성은 동료들 간 협력, 경쟁 등의 상호작용이 있어야 가능하다.

동료들의 다양성이 존중되고 상호 간 소통이 원활할 때 조직과 팀이 유지된다. 새로운 것을 배우고 적용하려는 학습 민첩성과 다양한 의견과 참여를 통한 문제해결을 이끄는 퍼실리테이션 Facilitation 역량이 중요한 이유이다.

둘째, 조직에 지속적으로 에너지를 유입시키는 것이다.

고인 물은 썩기 마련이고, 비워야 채울 수 있다. 조직에 먼저 유입되어야 할 에너지는 '정보와 사람'이다. 지식과 정보들이 조직 내 춤을 추고 돌아다닐 수 있어야 한다. 새로운 생각과 역량을 갖춘 인재들이 동시에 투입되어야

하는 이유이다.

셋째, 유입된 에너지의 원활한 순환이다.

조직에 아무리 많은 데이터와 정보가 존재하더라도 어떤 목적으로 사용할 것인지, 어떤 의미를 부여할 것인가의 결정이 없으면 소용없다. 내용과 결과가 적절한 사람에게 전달되고, 적합한 사람이 활용해야 한다. 구성원간 원활한 정보공유와 집단 간 정보공유의 성공담 체험에 대한 지원과 인정이 절실한 이유이다.

넷째, 조직의 목적과 구성원 목적과의 공진화 co-evolution이다.

조직의 목적과 구성원 목적 간 선순환 고리를 만드는 것은 예술에 가까운 일이다. 조직의 목적과 목표는 구성원들로부터 형성되는 것이라는 신념이 있어야 한다. 구성원은 조직의 목적과 목표에 걸맞는 생각과 행동을 할 수 있는 자신감이 있어야 하는 이유이다.

다섯째, 구성원 스스로 통제할 수 있는 힘을 키워줘야 한다.

구성원들이 큰 좌절을 겪을 때는 스스로 아무것도 통제할 수 없다는 마음이 생길 때이다. 구성원 간 활발한 상호작용을 기대한다면, 자율성을 담보할 수 있는 조직 차원의 배짱이 있어야 한다. 믿고 맡길 수 있는 권한위임이 필요한 이유이다.

구성원 개인의 복잡성을 높인다는 것은 관리 차원에서 분명 非효율적일 수 있다. 그러나 '적응과 성장'이라는 조직 관점에서 보면 이보다 더 효과적인 것도 없다.

개인과 조직은 급격한 변화 속에서도 제대로 적응하도록 노력해야 한다. 우리가 복잡계 complexity를 꾸준히 공부하고 실천해야 하는 이유이다.

6. 조직 학습과 복잡계

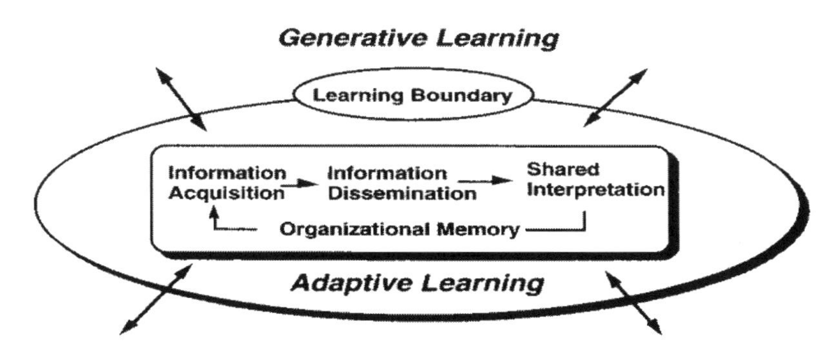

출처: Slater, S. F., & Narver, J. C. 1995. Market orientation and the learning organization.

한 시대의 교육 형태와 교육 내용은 그 시대 사람들의 인간관과 세계관을 반영한다. 안타깝게도, 우리 교육은 결정론과 환원론에 근거하여 세상을 바라보는데 익숙하다. 어느 한 부분에 너무 집중한 나머지, 전체를 살피는 것을 소홀히 하고 있다. 교육은 한 사람의 육성과 성장의 여정이어서, 인간 전체를 살필 수 있어야 하기 때문이다. 복잡계 이론을 통해 그 지혜로운 답을 찾아낼 수 있다.

복잡계 이론은 합리주의적 전제를 부정한다. 인간은 논리적 '피조물'에 그치지 않고 논리적 능력을 바탕으로 다른 것과의 연결성을 만들어내는 '영장물'이라고 본다. 교육에서 의미를 파악한다는 것은 그 안의 역동적 관계성을 확인한다는 것이다. 복잡계 이론은 학습, 강의장, 교육 과정 등의 요소들이 평형이 아닌 비평형 상태에서 작동하는 것으로 본다. 복잡계 이론에서 타당성, 엄밀성보다 우연성과 실행력을 더 중요하게 생각하는 이유도 이 때문이다. 복잡계 이론은 다른 구성원들의 지각과 의식을 결합하여 더 큰 규모의 인지적 집합체인 집단 지성 collective intelligence을 창출하는 것이다. 구성원 개인이 소유하고 발휘하는 역량과 비교하여, 팀 또는 조직이 보유하고 작동하는 집단 지성은 다른 차원의 것이다. 시스템 속 구성 요인들은 피드백과 정보를 주고받으며 상호 연결된다. 전체를 인식하면서도, 속에 내포된 부분들 사이의 피드백 관계 또는 역동적인 관계를 이해하도록 돕는 것이다. 이 과정에서 지시나 통제는 불필요하며, 독단적인 조정자도 필요하지 않다.

복잡계 사고는 요인들 간의 관계와 그 사이에서 발생하는 문제의 배후 구조를 보는 사고방식이다. 시스템을 여러 요인들의 상호 연결된 전체로 보고, 요인들 간 상호작용으로 만들어지는 역동적 변화 과정을 이해하는 것이 목적이다. 특정 시점의 변화에 주목하기 보다, 연속 선상에서 변화를 보는 것이다. 복잡계 사고는 짧은 시간에 식별되지는 않았지만 지속적으로 무언가를 찾는 과정이며, 결코 완결함을 찾는 것은 아니다.

학습 역시 환경과 맥락에 맞게 변화해가며 목적을 실현하는 과정이라는 점에서 자기조직화의 개념과 유사하다. 학습에 참여하는 구성원들이 상호작용함으로써 양의 긍정적 피드백을 불러일으키고 어느 순간 임계 지점을 통과하면서 새로운 성장을 맞이하게 되는 것이다. 구체적으로, 팀 학습을 위해서는 타인의 관점이나 의견을 존중하면서 자신의 의견을 밝히는 가운데 생각들이 유연하게 교감할 수 있는 대화와 토론 문화의 정착이 필요하다. 보다 신속한 혁신의 결과물을 가져오기 위해 다기능팀 cross functional team을 조성하여 학습 능력을 증진시킬 필요가 있다. 다기능팀처럼 작은 성공담을 만들기 위한 팀을 프랙탈 fractal 개념으로 설명할 수 있다. 프랙탈은 자기유사성을 갖는 기하학적 구조로, 복잡계 안에는 자기유사성을 지닌 프랙탈 구조가 존재한다. 프랙탈은 단순 반복이 아닌, 규칙성과 非규칙성 또는 다양성과 일관성 등이 상호보완적으로 공존하고 있는 상태이다. 성공 DNA를 품은 작은 그룹 또는 팀들이 조직 내 확대 재생산되는 것은 학습조직으로 가는데 있어서 매우 의미 있는 일이다.

그동안 조직 내 교육과 학습은 보이지 않는 제도 관리 영역 안에서 작동되었다고 볼 수 있다. 실제로 '학습은 곧 삶이요, 삶은 곧 학습'이라는 삶의 여정 속으로 들어가야 한다. 행동주의적 학습 차원에만 머물지 않고, 인간 전반에 걸친 학습 체계화의 적용 가능성을 검토해야 한다. 학습은 하나의 측면으로만 이루어지는 것이 아니다. 전체의 과정, 즉 학습자들 간, 학습자와 주변의 환경의 역동성, 학습의 임계점, 자기조직화 등을 모두 살펴봐야 한다. 이를 통해 학습을 통한 성장과 변화라는 창발을 기대할 수 있다.

피터 셍게 Peter Senge는 조직내 지식 체계가 어떻게 형성, 축적, 활용되느냐는 조직이 어떻게 좋은 시스템으로 진화 하느냐와 같다고 말했다. 모든 시스템은 본질적으로 두 가지 측면을 동시에 가지고 있다.
첫째는 질서 측면이다. 시스템 스스로 균형 및 현재 상태를 유지함으로써 외부환경과 자신을 구분 짓는다. 이는 정체성 identity으로 연결된다. 그 질서와 정체성을 유지하는데 벗어나는 일탈에 대해서는 그 편차를 상쇄시켜버리는 음의 피드백이 작동한다.
둘째는 무질서 측면이다. 시스템은 끊임없이 스스로를 파괴하고 경계를 유지하는 동시에 경계를 허물고 확장한다. 반대로, 스스로 설정한 균형에서 벗어나 일탈을 증폭시키려는 양의 피드백을 작동시킨다. 사실 질서와 무질서 두 측면을 모두 통합해야 시스템은 존속할 수 있다. 시스템은 질서와 무질서의 영역을 끊임없이 오가며 스스로를 재생산해 나가는데, 이것을 시스템의 창조 또는 성장이라고 부른다.

앞서 언급한 시스템의 두 가지 측면에 주목하여, 학습 유형을 계획된 학습 planned learning과 발현적 학습 emergent learning으로 나눈다.
계획된 학습은 목적이 전제됨으로써 질서가 의도적으로 만들어지는 과정이다. 반대로 구성원들이 학습의 목표나 결과를 의식하지 않아도 학습은 일어나며, 이것은 자기 조직적 질서에 가깝다고 보는 것이 발현적 학습이다.
학습이란 데이터의 패턴 또는 정보를 구조 또는 지식으로 전환시키는 과정이다. 구성원이나 조직이 학습한다는 것은 새로운 정보의 패턴이 구성원과 조직 내에 구조화 된다는 것을 의미한다. 바로 복잡적응시스템이 진화하는 과정이다.

결론적으로 조직 학습의 결과는 계획적 학습과 발현적 학습의 역학으로 볼 수 있다. 조직 학습은 수평 조직을 기반으로 구성원들 간 상호작용을 통한 문제해결을 유의미한 학습 과정으로 본다. 조직 학습은 다음의 4가지 전략을 가지고 있다.

먼저, 구성원들이 조직 내·외부와 다양한 정보를 주고받기 위한 열린 시스템 구축이다.

둘째, 문제의식을 가지고 이슈를 해결할 수 있는 능력을 키우기 위한 다양성 존중이다.

셋째, 정보의 활발한 유통과 소통을 통해 구성원 간 협력과 경쟁을 만드는 자기조직화이다.

마지막은, 자발적이고 바람직한 변화를 유도할 수 있는 자율적 자기 조정능력이다.

또한, 조직이 학습하는 구조는 구성원 개인이 학습하는 구조와 동일하게 적용된다. 복잡계에서의 조직은 의도적인 문제제기를 통해 조직 학습이 시작된다고 본다. 구성원도 경험으로부터 습득한 지식과 새로운 가능성에 대한 문제를 제기한다. 이는 초기 조건에의 민감성 sensitivity to initial conditions을 자극하여 복잡한 상태로 진입시킨다. 의도적인 문제제기는 학습능력이 뛰어난 구성원들의 공통점으로 개인이 가지고 있는 지식과 외부의 지식 세계를 연결시키는 것이다. 폭발적인 학습은 이미 가지고 있었던 지식으로 해결이 가능한 문제가 아닌, 새로운 외부 지식의 유입을 통해 해결이 가능한 문제를 만났을 때 가능하다. 이 경우, 긍정 피드백이 작동하여 창발적 학습과정을 거치게 되면서 자기조직화에 이르게 되는 것이다.

또한 의도적인 문제제기는 나비의 날개짓과 같이 인지적 혼돈 및 긴장감을 제공함으로써 새로운 환경에 적응할 수 있는 힘이 된다. 개인의 의도적 문제제기로 시작된 학습과정은 다른 사람들과 자연스럽게 연결된다. 창발적 학습은 구성원들 간의 상호작용을 통해 새로운 지식을 구성한다는 측면에서 사회적 과정의 학습이다.

학습 능력이 뛰어난 구성원은 다른 구성원들과 상호작용을 통해 지식을 공유하는 동시에 자신의 맥락에 적합한 공동의 이해를 형성한다. 지식이 그대로 전파되는 것이 아니라 맥락에 적합한 형태로 재창조되는 과정에서 의도하지 않았던 새로운 학습결과를 낳게 되는 것이다. 또한 실천을 토대로 한 새로운 맥락에 적합한 형태로 재창조되는 과정에서 상대방의 감정을 이해하고, 서로의 경험이나 감정 등을 융화하게 된다. 이러한 과정에서 세심한 배려와 존중의 가치까지도 배우게 된다.

복잡계는 우리에게 가장 적합한 학습과 변화를 만들어 내는 과정이다.
복잡계는 생존을 넘어서는 성장 thrive beyond survival의 이야기이다.

★ 상호의존성과 조직학습

상호의존성은 다차원적 특징을 가지고 있습니다. 상호의존성에 의해서 개인과 조직의 행동이 다른 시스템에도 영향을 줍니다. 일부 한 곳에서만 상호작용하는 것이 아니라 다양한 차원에서 서로가 서로에게 영향을 주고 받게 되는 것이죠.

사회, 문화, 기술, 경제 차원은 단독으로 존재하는 것이 아니라 서로에게 영향을 주고 받는다는 것입니다. 이러한 상호작용은 연결되는 사슬 모양의 형태로 확장되기 때문에 복잡해 보이는 시스템이라도 대략적으로 묘사 가능한 것입니다. 또한 시스템을 구성하고 있는 요인들이 서로 공식적으로 연결되어 있는 것만이 아니라, 일부 요인들만 서로 연관성을 가지는 등 非공식적으로도 연결될 수 있습니다. 연결성의 정도에도 다양한 관계가 존재한다는 것이죠. 이러한 연결성의 정도는 한 요인이 다른 요인에게 의존하는 정도를 말하는데 이러한 상호의존성이 클수록 한 요인의 행동에 의해서 만들어지는 파급효과는 더욱 광범위하게 나타나게 됩니다. 이러한 파급효과는 반드시 유익하지 않을 수 있다는 것에 유의해야 합니다.
시스템 진화에 따른 리더십 문화 양식을 다음과 같이 정리해 볼 수 있습니다.

1. 의존적 dependent 리더십 문화 양식
   권위를 가진 사람에 의해서만 리더십이 작동한다는 것을 추앙하는 시스템으로, 권위에 얼마나 복종을 하는가를 중요한 것으로 여긴다.
2. 독립적 independent 리더십 문화 양식
   개인의 전문성과 영웅적 행동에 의해서 리더십이 창출된다고 믿는 시스템으로, 서로의 영향력과 협약, 계산에 목숨을 건다.
3. 상호의존적 interdependent 리더십 문화 양식
   전체 관점에서 도움이 되는 모든 행동을 리더십의 요체로 신뢰하는 시템으로, 공유된 목적, 창발 및 커뮤니티의 진화에 몰입하고 서로 돕는다.

7. 거버넌스와 복잡계

거버넌스 governance는 행정학 용어사전에서 '공공 경영'이라고 번역되며 공공서비스의 공급체계를 구성하는 조직체계 또는 조직 네트워크의 역동적 상호작용으로 정의된다.

超연결과 정보화로 사회의 복잡성이 올라가고, 다양한 욕구의 생성으로 참여의 의미가 부각되었다. 이러한 변화는 하향식 통제와 관리의 약화를 가져왔고, 자율성과 적응성을 통해 새로운 질서를 형성할 수 있는 새로운 운영방식의 강화를 요구하게 되었다.

기존 평면적이고 선형적인 질서의 틀을 극복하려는 노력이 활발히 진행된 것이다. 역동적 변화 현상을 포괄적이고 설득력 있는 용어로 표현하는 거버넌스가 새로운 패러다임으로 등장하였다. 거버넌스 개념은 새로운 조직 운영체계와 양식에 대한 이해의 필요성을 가속화 시켰다. 새로운 경영환경을 계층 중심의 지배와 형식적 조직 구조만으로 설명할 수 없게 되자, 거버넌

스를 새로운 관점에서 조망할 수 있게 해주는 복잡계 이론에 대한 관심이 높아졌다.

거버넌스는 복잡적응시스템에 가깝다. 복잡적응시스템의 자기조직화와 공진화 두 가지 원리가 거버넌스에 그대로 반영되기 때문이다. 복잡적응시스템은 상호작용하는 다수의 구성 요인들로 구성된 시스템이다. 다른 구성요소의 행동에 따라 자신의 행동을 조정해 나가는 것이 필요하며, 또 다른 시스템과 상호작용을 통해 학습하고 서로 진화해 나간다. 최근 경영에서 강조되고 있는 파트너십, 시너지와도 그 결을 같이 한다. 이 과정에서 일정한 규칙을 만들어내고 끊임없이 정보를 생성하고 공유한다. 때로는 시행착오를 겪으면서 진화해 나간다. 이때 복잡적응시스템은 변화 가능한 질서와 다양성을 생성한다. 자기조직화의 활동을 통해 지속적인 새로움을 창출하는 것이다.

중요한 전제조건은 외부로부터 정형화된 것을 도입하여 조직이 강화되는 것도 있겠지만, 조직 스스로 자기만의 특성과 특질을 먼저 파악하고 활용, 적용함으로써 조직을 성장시켜 나가게 된다는 것이다.

생태계에서 상호 이익이 되는 장기적 관계를 정리한 애덤 그랜트 Adam Grant가 <GIVE & TAKE>에서 강조했던 giver와 같이, 다른 사람의 성공을 도와주는 노력과 행동이 얼마나 중요한지 알 수 있다. 거버넌스는 상호의존적 네트워크를 통해 역동적으로 활동하는 살아있는 생명체로 인식한다. 어느 한 사람만의 계획에 의해서가 아니라 스스로 환경을 조성하고 발전시키기 때문에 신뢰와 협력이 거버넌스에 중요한 철학이 되는 것이다.

조직을 복잡 시스템이라는 관점으로 바라보면,
조직의 특질은 개인이나 특정 집단의 성질을 반영하기 보다
그것들이 상호 형성하고있는 관계에 의해 결정된다.

8. 갈등 극복과 복잡계

수 많은 사건과 사고 뒤에 몸을 숨기고 있는 것이 갈등이다.
2020년 12월 한 매체가 갈등 인식을 주제로 진행한 설문 결과는 놀랍다. 사회 갈등이 심하다고 인식하고있는 비율이 89%이며, 과거보다 갈등이 더욱 심해졌다고 인식한 비율이 75%이었다. 앞으로도 사회 갈등이 더욱 늘어날 것이다라고 인식하고 있는 비율 역시 73%을 차지했다. 실제 대한민국의 갈등은 세계적으로도 우려할만한 수치를 보이고 있다. OECD 국가별 사회 갈등 지수 순위를 보더라도 맥시코, 터키에 이은 3위를 차지한다.

갈등을 이슈 자체로만 생각하기 쉬운데, 많은 연구자들은 갈등의 원인을 심리 상태에서 찾고 있다. 마음이 지쳐있을 때, 참아야 할 상황이 많을 때, 또는 스트레스 상황에서 갈등은 더욱 심화된다는 것이다. 최근 사회 갈등과 관련하여 소셜 데이터를 보아도 '감정', '인생' 등의 단어가 뜨고 반대로 '정책', '결혼' 등은 사라졌다. 무엇보다 새롭게 진입한 키워드가 있는데 '목소리', '힘', '상처', '가치'라는 단어이다.
즉 갈등이라는 것이 기존 이념, 진영과 같은 사회적 영역에서부터 젠더, 양극화 및 부동산 등과 같은 개인적이고 다양화된 영역으로 전환되고 있다. 강압과 권위로 인해 그동안 참고 있었던 울분, 감정들이 표출되고 있다는 것을 말해준다.

민주주의의 기본은 다양성을 인정하는 것에 있다. 이 때문에 갈등 양상도 다양하게 나타나고 있다. 서로 비슷하기 때문에 갈등이 생기기 마련이다. 공통 분모가 있는 상태에서, 서로에게 조금만 다른 모습을 포착하게 되면 오히려 큰 이질감을 느끼게 되는 것이다. 반대로 시작부터 공통점이 없는 상황에서는, 서로의 다른 모습을 오히려 흥미로운 특징으로 인식하게 된다.

과거에는 정체성이라는 것이 힘이 있는 누군가에 의해서 부여되거나 제공받음으로써 한정적 이었다면, 지금은 '부캐'라는 개념으로 다양한 정체성을 개인이 주도적이고 창의적으로 창출하고 있다. 또한 메타버스 metaverse라는 가상 현실 속에서 한 개인이 N개의 정체성을 추구하는 것이 활성화되고 있다.

개인 정체성의 다양화는 느슨한 관계의 확산을 만들었고, 집단의 결속력은 약화될 수 밖에 없다. 또한 온라인 세상을 통한 갈등은 더욱 강화되었다. 따라서, 갈등은 정답을 찾아 풀어야 하는 문제가 아닌, 하나의 현상으로 인식하는 것이 현명할 것이다. 관계 속에서 나와 주체로서의 나 2가지에 대한 새로운 정립이 필요한 시기이다.

이러한 과정 속에서 갈등을 줄이기 위한 몇 가지 방법을 제시하고자 한다. 첫째, '국룰'이 필요하다. 새로운 규칙에 대해 고민해보고 합의함으로써 갈등을 최소화할 수 있다. 다양한 관계 속에서 상호 간 톤 앤 매너 tone & manner를 정해보는 것이다. 내적 친밀감이라는 개념인데, 정서적 유대감이 서로 쌓여있는 상태에서는 나와 다른 주장을 하더라도 그 주장을 또 다른 색다른 의미 있는 것으로 간주하여 상대방 의견에 귀를 기울이게 된다는 것이다.

둘째, 개인 또는 우리가 중요하게 생각하는 것이 무엇인지 투명하게 공유하는 것이다. 생각하고 있는 우선순위를 투명하게 보여준 후에, 상호 지식과 경험을 공유함으로써 갈등의 실마리를 풀어나가는 것이 효과적이다.

갈등을 줄일 수 있는 마지막 방법으로, 감당할 수 있는 작은 변화를 만들어 보는 것이다. 급격한 변화에는 그 변화에 대한 저항도 거셀 수 밖에 없다. 작은 갈등 해결의 성공담을 축하해 주고 공유함으로써 더 큰 갈등 해결의 기폭제 또는 윤활유로 활용하는 것이다.

특히, 경영진과 리더들은 조직 내 갈등을 자연스러운 현상으로 받아들이는 것이 중요하다. 갈등을 제거 대상으로 보는 것이 아니라, 갈등 속 긴장감을 어떻게 조직의 긍정적 에너지로 전환시킬 것인가에 대한 고민과 노력이 필요하다. 구성원 모두가 언제 어디서든지 확인하고 상기시킬 수 있는 합의된 목적을 공유하고, 심리적 안전감과 유대감을 가지고 상호작용을 할 수 있도록 배려하고 지원해야 한다. 구성원들이 느끼고 있을 갈등의 맥락을 전체적으로 이해함으로써 갈등을 삭제하기 보다 조정 관리하면서 성숙한 조직 변화를 만들어 내는 사람이 리더이다.

복잡계 리더 complexity leader는..
구성원들 간 상호의존성과 상호작용을 촉진하는 동시에 갈등과 긴장도 촉진함으로써 조직에 적합한 학습과 질서를 만드는 역할과 책임을 숙명으로 받아 들이는 사람이다.

9. 교사와 복잡계

과거 학교 교실을 떠올려보자.
흰색 분필로 녹색 칠판에 한 바닥 정성스럽게 선생님이 오늘 배울 내용을 또박또박 적어 내려가면, 학생들은 입을 굳게 다문 채 비장하고도 경건한 마음으로 그 내용을 따박따박 공책에 옮겨 적어 내려갔다.
전통적 의미에서 교사의 역할은 활자화된 지식을 온전히 전달하는 것이었다. 그러나 정보 지식 사회에서는 교사 중심의 활동보다는 학생 중심의 활동으로 그 무게중심이 옮겨졌다. 교사와 학생들 간의 상호작용으로 교육방식이 바뀐 것이다.

정보 지식 사회에서는 자기주도적 학습, 효과적인 의사소통, 협력 및 창의적인 문제해결을 잘하는 인물을 인재로 꼽는다. 지식을 유동적이며 상대적인 개념으로 바라보는 세계관이 열리면서 지식의 의미가 변화되었다. 학생이 일방향적으로 지식을 받아들이는 형태가 아닌, 지식과 학습 사이의 연결 및 공간을 인정하며 학생들 서로가 상호작용한다는 관점이 설득력을 얻게 되었다.
교사가 먼저 환경에 익숙해져 하고 더욱 자유로워져야 한다. 지식의 재구조화와 집단 지성에 능한 교육자가 되어야 한다. 교사는 지식을 전수하기보다 지식을 다룰 수 있도록 촉진해야 한다. 교사들은 참여자들의 학습을 통합하고 데이터를 정보로, 정보를 지식으로, 지식을 지혜로 전환하도록 돕는 능력 및 전문성을 갖춰야한다. 학생들 간의 상호작용을 장려하며 그들 사이의 새로운 창발을 유도하는 매개자와 촉진자로 교사가 바로 서야 한다.

교사는 교실 안 네트워크 시스템을 구성하여 구심점이 되어주는 동시에 원심력을 촉진시켜 줄 수 있는 역할을 수행해야 한다. 단순 연결자로서의 역할이 아닌 전인격적 실천 모델이 되도록 노력해야 한다. 이러한 노력으로 교사와 학생들 간의 격차가 줄어들어, 점차 유사성을 지닌 프랙탈적 변화를 갖추게 됨으로써 근본적 교실 변화를 이끌게 될 것이다.

교사의 작은 행동 변화는 학교 전체의 새로운 진화를 만드는 초석이 된다.
리더의 작은 행동 변화는 조직 전체의 새로운 진화를 만드는 기반이 된다.

10. 인공지능과 복잡계

복잡계는 시스템을 구성하고 있는 요인들 간 상호작용을 토대로 전체를 이해하려는 것이다. 정보와 소식은 사람들이 상호작용하면서 널리 확산되고 때로는 惡소문으로 둔갑한다. 특히, SNS에서 팔로워들이 많은 인물들에게 하나의 정보나 소문이 도달되면, 그 전파 속도와 파급효과는 걷잡을 수 없게 된다. 연결된 정도와 강도에 따라 확산의 정도와 크기는 달라지게 된다.

따라서 거대한 형상으로 퍼져나가는 것들 속에 숨겨져 있는 스토리와 내막을 읽어내는 능력이 중요하다. 개별 사실에 매몰되는 것에서 탈피하여, 전체를 조망하고 전망할 수 있는 힘을 키워 시스템 전체를 움직이는 질서를 이해해야 한다. 상호작용하는 구성 요인들 간의 역동을 다루는 복잡계는 많은 현상을 이해하는데 도움을 주는 사고체계이다. 뇌의 활동, 자연 속 많은 생명체들의 활동, 도시의 교통 흐름 등은 그 안에서의 고유한 질서가 존재하는 복잡계 사례이다.

인공지능 artificial intelligence은 인간이 지닌 지적 능력을 인공적으로 구현한 것이다. 인간의 뇌 속에는 단순한 정보를 처리해내는 뉴런들이 있다. 뉴런들이 처리한 결과들이 차곡차곡 쌓여 하나의 지능을 만든다. 인공지능을 구현하는 방식인 딥러닝 deep learning은 뇌의 신경망 조직을 개념화한 학습으로, 인간 지능이 실제로 어떻게 구성되어 가는가를 모방하는 것이다. 인공지능은 특정한 문제의 답을 찾는 것에 유용하다. 예를 들어, 사람의 얼굴을 인식해 낸다는 것은 데이터 속에서 정답을 찾아내는 것과 같다. 그 과정이 바로 복잡계 현상이다. 많은 구성 요인들 간 상호작용과 또는 내·외부의 피드백을 통해서 어느 순간 임계치를 넘어 가면서 도출해 내는 하나의 창발인 것이다.
인공지능과 복잡계가 가지고 있는 전제는 부분적으로는 맞지만, 전체적으로는 맞지 않을 수도 있다는 것이다. 즉, 적절한 자율성을 지닌 구성 요인들이 상호작용해 나가면서 어떠한 전체를 형성하는 과정을 이해하고자 하는 것이 복잡계적 시각이다.

복잡계와 인공지능을 이해하는 것은 하나의 이론과 과학만을 터득하는 것이 아닌 나와 우리를 둘러싼 생태계를 이해하는 여정과 꼭 닮아 있다고 볼 수 있는 것이다.

11. 개미와 복잡계

저울질이 시작되었다. 세상에 존재하고 있는 모든 개미들이 저울 좌측 위에, 지구촌에 존재하는 모든 사람들이 우측 저울 위에 올라섰다. 어느 쪽으로 저울이 기울까? 인간의 평균 체중을 65kg으로 계산하고, 현재 78억인구 수를 곱하면…
자연 과학자들은 개미 쪽에 손을 들어주고 있다. 개미는 나약하고 미미해 보이는 생명체이지만 번식에 있어서는 가장 성공한 생명체로 꼽힌다. 또한 가장 창의적인 생명체 집단으로 인정받기도 한다. 개미는 단순해 보이지만 변화에 적응하면서 생존할 수 있는 최적의 솔루션을 찾아 공유하고 있기 때문이다. 개미가 집단 또는 조직을 이뤄가면서 보이는 놀라운 행동과 현상들은 개미 한 마리의 특성을 가지고 설명할 수 는 없다.

시스템을 구성하고 있는 요인들이 복잡한 전체의 특성을 새롭게 만들어내는 것이 창발 emergence이다. 구성 요인들이 단순한 규칙과 행동을 따르지만 상호작용을 통해서 복잡해 보이는 문제를 스스로 해결해 나가는 현상을 뜻한다.

개미가 시계를 손목에 두르고 있지는 않다. 흥미롭게도, 시간의 존재를 모르는 개미가 모이게 되면 가장 적게 걸리는 최단 경로를 찾아낸다. 개미가 남긴 화학 물질인 페르몬에 그 비밀이 있다. 페로몬은 휘발성이 강해서 그만큼 시간이 짧게 소요되는 경로에 더 많이 남게 된다. 페로몬을 바로 뒤따라간다는 강력하면서도 단순한 행동 규칙이 존재하는 것이다.

목적지를 향해 개미 무리들이 전진할 때, 병목현상이 생기는 구간에서는 앞에 가던 개미 속도가 줄어들게 되면서 뒤따르던 개미는 자연스럽게 앞서 있던 개미의 등을 밟고 올라서게 된다. 그러다가 자신들의 등 위를 지나가는 개미의 수가 점차 줄어들고 있다고 느끼면, 개미는 다시 그 뒤를 따라 등을 밟으면서 움직인다. 개미의 행동 하나하나가 집단 전체의 효율성으로 창발되는 순간이다. 개미들은 물위를 이동할 때도 같은 방식으로 뗏목 형태를 만들어 이동한다. 놀랍게도 개미들은 유사한 개별적인 행동 규칙을 따르면서도 외부의 지형 지물이 바뀌면 적절하고 적합한 집단적 행동을 만들어내는 것이다.

집단에서 부지런한 개미를 일부 덜어내면 어떤 일이 벌어질까? 놀랍게도 게으름을 부렸던 개미들은 부지런한 개미들의 일부가 사라졌다는 사실을 인식하고 곧 부지런함을 되찾는다. 반대로, 게으른 개미를 집단에서 일부 덜어내면 어떤 일이 생길까? 놀랍게도 부지런한 개미들은 게으른 개미들이 줄어든다고 해서 결코 다시 게을러지지 않는다. 즉 게으른 개미들은 일종의 예비 후보자 bench strength와 같은 역할을 한 것이다. 집단 전체가 수행해야 할 작업의 양이 늘어나면, 예비 후보자들이 선격 투입되면서 집단 전체는 유연하게 새로운 질서를 만들어 대처하는 것이다.

개미 집단은 전형적인 脫중앙적 조직 구조 decentralized organizational structure를 보인다. 소수의 지시와 통제 없이 전체 집단이 문제를 해결해 나가는 자기조직화 self- organization를 보여준다. 전체가 보여주는 행동이 복잡해 보이지만 실제 각자가 수행하는 작업은 강력한 단순함을 가지고 있는 것이다. 구성원들 간의 유기적인 연결이 내뿜는 힘을 보여주고 있다. 개미 한 마리 한 마리는 자신이 어떤 행동을 취해야 하는지의 의사 결정을 내리는 것이 아니라, 주변 정보를 감지하는 과정 속에서 다음의 행동을 결정하고 있는 것이다.

일을 처리하거나 수행하는 과정에서 개미는 주변을 살피며 주변 개미들과 정보를 주고 받으며 협력한다. 내가 하는 작은 행동이 상대방에게 또는 우리들에게 도움이 되고 있다는 확신을 가지고 있는 것 같다.

개미들이 보여주는 철학은 超연결 시대에서 발생할 수 있는 가장 큰 위험 요소인 맹목적 집단 사고와 집단적 행동을 제거할 수 있는 가장 현명한 방법이 된다.

12. 철학과 복잡계

기존의 다윈주위적인 진화론은 적자생존이라는 경쟁의 기조로 생물의 진화를 설명했지만, 공진화 co-evolution는 경쟁적 협력 co-opetition을 진화의 중요한 원리로 강조한다.

조직은 규율과 자율, 창의와 질서, 경쟁과 협동, 리더와 구성원, 효율성과 효과성 등 수많은 역설들 paradox로 가득 차 있다. 역설 속에 잘 보이지는 않지만 무수한 줄기로 상호연결되어 있다는 것을 간파하는 것, 역설적 조직의 숙명을 이해함으로써 다양한 가치를 이해하고 관리할 수 있는 역량을 키우는 것은 매우 중요하다.

동양 사상은 물체와 마음을 연속선상으로 보며, 변화를 우주의 본질로서 인식하고 있다. 도가 道家 철학은 이분법적 사고 방식을 멀리하고, 개체를 인정하면서도 전체와 조화를 강조하고 있다. 우주를 영원히 살아있는 생명체로 파악하는 도가의 세계관은 모든 것들의 상호작용으로 새로운 질서가 발생한다고 본다. 진화하는 과정에서의 역동성 dynamics에 초점을 맞추고 있기 때문이다.

이는 복잡계가 상호작용이라는 역동성을 통해 질서를 형성하는 자기조직화 self-organization의 능력과 창발 emergence을 통해 새로운 질서 new order로 도약하는 과정이라는 점에서 도가 철학과 유사하다고 볼 수 있다.

도가에서의 이분법적 발상 binary thinking은 인간이 정해놓은 상대적인 개념 구분에 불과할 뿐이라고 한다. 성장하는 창조적인 조직은 상호보완과 상호의존적 순환과정을 긍정과 부정의 피드백 사이의 자기조직화적 과정으로 인식한다.

′낳으면서도 낳은 것을 소유하지 않고, 지으면서도 지은 것을 내 뜻대로 만들지 않고, 자라게 하면서도 자라는 것을 지배하지 않는다, 이것을 미묘한 덕(德)이라 한다. 生而不有, 爲而不恃, 長而不宰, 是謂玄德 ′라는 말이 크게 와 닿는 이유이다.

‘도는 늘 함이 없지만, 하지 아니함도 없다. 道常無為而無不為′ 묵직한 말이다.

조직도 각 계층과 시스템들이 서로 느슨하게 연결되어 있어서, 발생하는 작은 요동이 조직이 원하고 기대하는 변화의 원동력이 될 수 있다. 즉 사이의 여유 slack 虛가 있어야 자기조직화적 변화가 가능하다는 것이다. 순환은 단순 반복이 아닌 끊임없는 새로움의 창조로 보는 도가는 모든 사물을 동등하게 보지 않는다. 오히려 개별성을 인정하는 동시에 그 차이점들을 전체적 관점 속에서 상대적인 것으로 보려 한다.

'복이 화가 되고 화가 복이 되는 것은, 그 변화가 불측 하여 그 끝을 알 수 가 없고, 그 이치가 깊어 다 헤아릴 수가 없다.
'故福之爲禍, 禍之爲福, 化不可極, 深不可測也.'

[10장. 복잡계 주요 개념 Index]

1. Adaptive capacity 적응 능력

시스템이 변화에 효과적으로 적응할 수 있는 능력을 말합니다. 변화에 대한 저항은 변화 자체를 외부의 것으로 인식하고 있는 것이지만, 적응 능력은 변화를 우리의 것으로 생각하고 환경에 적응하고 변화할 수 있다는 것을 말합니다. 적응 능력은 환경에 따라 다양한 반응을 보이는 동시에 시스템 구조를 재구성할 수 있는 능력을 말합니다. 마치 신체의 면역 체계가 작동하는 것과 유사하게, 지속적으로 변화에서 살아남기 위한 능력 상태로 축적되고 업데이트되는 것입니다.

2. Adaptive cycle 적응 주기

복잡적응시스템(CAS) 변화 과정의 이해를 돕기 위한 것이며, 사회 시스템과 생태계 변화 등을 구분하는데 사용될 수 있습니다. 다음의 4단계에 따라 그 변화를 설명할 수 있습니다. 첫 단계는 성장의 단계입니다. 두 번째 단계는 통제된 평형상태로 안정된 상태를 말합니다. 세 번째 단계는 외부 충격에 의해 시스템이 와해되고 위기에 처한 상태입니다. 네 번째 단계는 시스템의 붕괴로부터 다시 회복해가는 단계를 말합니다.

3. Attractor 끌개

시스템이 광범위한 초기 조건에서 진화하려는 경향을 가지고 있는 가치(값) 또는 상태를 말합니다. 끌개에 근접한 시스템 가치(값)은 약간의 불안정에도 불구하고 계속 그 상태를 유지하려 합니다.

4. Autopoiesis 자기 생성(self-creation)

자기를 의미하는 'auto'와 창조와 생성을 의미하는 'poiesis'에서 파생되었습니다. 시스템을 구성하고 있는 패턴과 구성 요인들을 지속적으로 생성하고 유지하는 것처럼, 조직의 각 부분들이 상호작용하는 시스템을 자동 생성 autopoietic이라고 부릅니다.

5. Bifurcation 분기점

분기점은 마치 새로운 규칙과 평형 상태들이 모여든 강의 유역에서 새로운 길의 방향으로 나뉘는 지점을 말합니다. 분기 이론은 어떻게 작은 변화가 시스템의 위상적 변화를 유발함으로써 새로운 끌개를 발생시키는지를 말해 줍니다.

6. Butterfly effect 나비 효과

나비 효과는 복잡한 시스템에서 초기 조건에 민감하게 반응하는 현상을 말합니다.

시스템 내 초기 값의 작은 변화는 시간이 지남에 따라 복합적인 피드백 고리들로 인해 완전히 다른 결과를 초래할 수 있습니다. 나비 효과라는 용어는 기상학자인 에드워드 로렌츠(Edward Lorenz)가 다음과 같은 제목으로 연설을 하면서 더욱 유명해 졌습니다. "브라질에서의 나비 한 마리의 날개짓이 텍사스에서 토네이도를 일으킬 수 있는가?"

7. Collaborative organization 협력적 조직

제로섬 게임을 중심으로 구성원 개개인을 조정하는 연결 수준이 낮은 권위 중심의 수직적 계층 구조와 달리 협업 조직은 구성원들 간의 상호연결성과 상호의존성이 중요합니다. 전통적 조직은 경쟁 상품을 둘러싼 갈등과 충돌이 명령과 지시를 통해 해결될 수 있는 중앙집권화된 구조를 구축하는 반면, 협력적 조직은 구성원들 간 상호연결과 상호의존성을 강화함으로써 글로벌 차원의 기대하는 결과를 달성할 수 있습니다. 협력적 조직은 이러한 연결과

상호의존 구조를 통해 '윈-윈 게임 win-win game'을 만들어 냅니다.

8. Complex adaptive systems 복잡 적응 시스템(CAS)

복합 적응 시스템은 미시차원과 거시차원의 피드백 고리 간의 역동을 통해 적응하고 진화하는 능력을 갖춘 시스템입니다. 시스템을 구성하고 있는 요인들이 비선형 방식으로 상호작용하고 서로의 행동에 영향을 주고 받을 수 있는 연결 네트워크를 만드는 것입니다. 지역적으로 locally 상태나 활동 등을 동기화할 수 있는 상호작용을 통해, 글로벌하게 globally 일관된 패턴이 출현함으로써 자기조직화 self-organization될 수 있습니다.

9. Complex systems 복잡 시스템

복잡 시스템은 상호 연결성이 높은 여러 요인들로 구성된 것이 특징인 시스템입니다.

복잡성의 진화는 시스템이 많은 전문화된 요인들을 가지고 있으면서 그 요인들이 상호연결되고 상호의존적으로 통합되는 과정을 말합니다. 복잡 시스템의 예로는 생물계, 도시 네트워크, 경제, 로지스틱 네트워크 등 다양한 형태의 조직들이 있습니다.

10. Complexity economics 복잡계 경제학

복잡계 경제학은 경제 자체를 특정한 맥락 내에서 의사결정을 하는 제한된 합리성을 가진 다양한 행위자들로 구성된 열린 시스템이라고 봅니다. 시스템 내 행위자들은 긍정적, 부정적 및 제로섬 게임을 통해 다양한 방식으로 상호작용하며, 이러한 상호작용을 통해 제도나 관습을 형성하는 연결 및 상호 의존성의 네트워크가 생성됩니다.

11. Complexity management 복잡계 관리
복잡계 관리는 복잡성 이론에 기초한 관리를 말합니다. 이 새로운 관리법은 조직 자체를 전반적인 기능성과 기대하는 결과물이 구성원들 간의 지역적 상호작용의 창발현상으로 나타나는 개방적이고 자기조직화된 시스템으로 보고 있습니다. 이러한 복잡계 관리는 복잡한 환경에서 운영되는 네트워크 조직에 초점을 맞추고 있기 때문에 불확실한 상황 속 적응능력과 회복력이 요구됩니다.

12. Complexity science 복잡계 과학
복잡계 과학은 날씨 패턴, 생태계, 도시와 같은 복잡한 시스템을 탐구하기 위해 복잡계 이론과 분석 기법 등 새로운 과학적 이론적 틀에 기초한 접근법입니다. 이론적으로 복잡계 과학은 시스템 이론, 네트워크 이론, 비선형 시스템 이론, 그리고 게임 이론 등을 포함하고 있습니다. 방법론적 차원에서 복잡계 과학은 에이전트 기반 모델링, 네트워크 분석과 같은 다양한 형태의 분석 기법을 사용합니다

13. Complexity theory 복잡계 이론
복잡계 이론은 다양한 분야에서 복잡 시스템을 모델링하고 분석하는 데 사용되는 이론적 체제 framework입니다. 복잡계 이론은 네트워크 이론, 시스템 이론, 비선형 시스템 역학 등 매우 다양한 모델과 방법을 포함하고 있으며, 에이전트 기반 모델과 같은 분석 기법 등이 있습니다. 이러한 분석 방법들은 공통적으로 복잡 시스템을 연구하기 위한 하나의 체제로 점차 부각되고 있습니다.

14. Complexity 복잡계
복잡계는 차별화되면서도 통합되어가는 진화된 시스템의 상태를 말합니다. 복잡계는 다음과 같은 특성을 가지고 있습니다. 즉, 많은 요인들로 구성되고

있다는 다수성, 자율성, 높은 수준의 상호연결성과 상호의존성. 이러한 복잡성의 결과물인 非선형성, 자기조직화, 창발적 행동과 공진화와 같은 특성을 말합니다.

16. Cybernetics 사이버네틱스
사이버네틱스는 모든 종류의 생물학적, 기계적 및 사회적 시스템 안의 제어, 정보 처리를 연구하는 학문입니다. 사이버네틱스라는 단어는 '조종, 항해, 통치'를 의미하는 그리스 단어에서 유래되었습니다. 사이버네틱스는 시스템 이론, 정보 이론, 컴퓨터 과학, 로봇공학, 기계 및 전기 공학 분야와 밀접하게 관련되어 있습니다. 사이버네틱스의 주요 연구 대상은 부정적인 피드백 고리로 조정되는 제어 시스템입니다.

17. Dissipative system 소산 시스템
소산 시스템은 열역학적 평형으로부터 멀리 떨어져 있는 상태로, 에너지와 물질을 교환하는 환경에서 열역학적으로 개방된 시스템을 말합니다. 분산 구조는 개방되어 있고, 처리를 할 수 있는 일의 용량을 유지하기 위해 환경으로부터 지속적인 에너지를 투입하게 됩니다. 이것은 자기조직화를 만들고 비평형 상태에서 작동하는 능력인 소산적 구조의 안과 바깥을 연속적으로 흐르는 에너지입니다. 소산 시스템의 예로는 난류, 허리케인 그리고 모든 형태의 살아있는 유기체가 해당됩니다.

18. Ecological networks 생태학적 네트워크
생태학적 네트워크는 생태계와 다른 요인들 또는 그 요인들 간 관계를 설명하는 데 사용되는 모델입니다. 생태학적 네트워크는 각각의 노드들과 링크들을 포함하고 있습니다. 노드는 개별 식물이나 동물, 전체 개체들과 종들을 나타냅니다. 일반적으로 포식자와 먹이 사이 관계인 먹이사슬로 불리우는

상호 적대적 상호작용과 곤충과 식물처럼 상호 공생적 상호작용이 있습니다.

19. Edge of chaos 혼돈의 가장자리
혼돈의 가장자리는 시스템 내에 존재하는 질서와 무질서 사이의 전환 공간을 말합니다. 두 체계 사이의 이 전환 공간은 질서와 무질서 사이의 지속적인 동적 상호작용이 일어나는 경계가 불안정한 영역을 말합니다. 이러한 혼돈의 가장자리는 가장 강력한 복잡성과 진화를 주도할 수 있는 자리를 말합니다.

20. Emergence 창발
창발은 새로운 패턴과 특성이 요인들 간에 융합되면서 생겨나는 과정을 말합니다. 창발적 특성은 많은 요인들 간의 시너지로 발행하는 것이기 때문에 각각의 요인들 자체로 발생되는 것으로 보기는 어렵습니다. 오히려 통합된 네트워크의 글로벌 구조로 존재하는 것이기 때문에, 창발은 통합적 차원의 두 개 이상의 구별되면서도 더 이상 축소될 수 없는 구조적 패턴을 보이는 것을 말합니다.

21. Entropy 엔트로피
엔트로피는 시스템이 가지고있는 자유도의 측정값입니다. 엔트로피가 올라가면 시스템 상태를 설명하는 데 더 많은 정보가 필요하기 때문에 최초의 질서 잡힌 상태로 재구성하기 위한 작업이 필요하게 됩니다. 이와 같이, 엔트로피는 정보 이론에서 불확실성을 수량화하는 핵심 척도입니다. 평형 상태에 놓여있지 않고 떨어져있는 시스템에서 엔트로피는 점차 증가하다가 다시 평형 상태가 되었을 때 최대치의 엔트로피를 보입니다.

22. Evolution 진화

진화는 생명 주기 동안 발생하는 개체들의 적응적 반응입니다. 진화의 과정에는 집단 내 다양성 및 변형들이 맥락 속에서 얼마나 잘 만들어지는지, 선택과 복제에 의해 성공적으로 진행된 변종들이 얼마나 되는가를 포함하게 됩니다. 이러한 방식을 통해, 시스템은 진화에 필요한 특성을 더욱 잘 갖추게 되어 통제된 규칙 없이도 적응이 가능해 집니다.

23. Far from equilibrium 평형에서 멀어진 상태(원거리 평형 상태)

원거리 평형 상태는 시스템이 정상 평형상태에서 멀리 떨어져 있을 때 어떤 현상이 발생하는지를 설명합니다. 난기류, 지진, 파괴, 폭동, 금융 위기, 그리고 생명과 같은 현상들은 시스템이 평형상태에서 멀리 떨어져 있을 때에만 발생하게 됩니다. 즉 정상적이고 일반적인 공간 안에 있는 평형상태와는 매우 다른 특성을 보이는 현상입니다.

24. Feedback loop 피드백 고리

피드백 고리는 결과가 다시 원인으로 되돌아가는, 계속 같은 결과를 보이면서 생기게 되는 경로로 정의할 수 있습니다. 피드백 고리는 부정적 피드백 고리와 긍정적 피드백 고리로 구분됩니다. 부정적 피드백 고리는 두 개 이상의 변수 사이의 제약 조건과 균형 관계를 나타냅니다. 시스템의 한 변수가 양의 방향으로 변할 때 다른 변수는 반대 방향인 음의 방향으로 변경됨으로써 균형을 맞추게 되는 것입니다. 반면, 긍정적 피드백 고리는 자기 강화 self-reinforcement되는 프로세스로, 지수함수 형태를 보이면서 성장하거나 붕괴되는 결과를 낳게 됩니다.

25. Fitness landscape 적합도 지형

적응적 지형으로도 불리우는 적합도 지형은 생물학에서 나온 모델로, 특정 환경 내에서 생물의 적합성을 설명하는 데 사용됩니다. 환경에 더 잘 맞는 생물일수록 적합도가 높고 지형도 더 높아지게 됩니다. 적합도 지형은 경제, 기술 또는 사회 조직과 같은 모든 복잡한 적응형 시스템에 적용됩니다. 지형 상의 위치는 주어진 문제에 대한 해결책을 말하며, 높이는 해결책이 얼마나 작동하는지를 확인하는 것을 말합니다. 따라서 유사한 해결책들은 서로 가까운 곳에 위치하고 있는 것을 알 수 있습니다.

26. Fractal 프랙탈

프랙탈은 자연과 수학적 구조에서 발견되는 기하학적 구조 geometrical structure를 말합니다. 기하학적인 형태로서 프랙탈은 척도 불변성의 특징을 가지며, 유사한 패턴이 다양한 척도에서도 반복되어 나타나는 것을 말합니다. 프랙탈이라는 개념을 처음 발견한 수학자의 이름인 만델브로 Mandelbrot를 따서 만델브로 집합이라고도 하며, 수학적으로 반복 함수에서 파생되는 것을 말하는 만큼 단순 반복되는 지도의 산물과 같습니다. 대부분의 혼돈 chaos 과정이 보이는 그래프가 프랙탈이기 때문에 혼돈 이론 분야와 관련이 깊습니다.

27. Game of life 인생 게임

인생 게임은 정사각형 세포 격자 안에서 실행되는 하나의 세포 자동화 형태를 말합니다. 셀은 살아있을 수도 있고 죽었을 수도 있습니다; 살아있는 셀은 사각형에 표시를 하고, 죽은 셀은 빈칸으로 남겨둡니다. 격자의 각 세포는 이웃을 가지고 있고, 하나의 세포가 행동을 결정하는 다음의 네 가지 규칙이 있습니다. 첫째, 2명 미만의 살아있는 이웃을 가진 살아있는 세포는 죽습니다. 둘째, 2~3명의 살아있는 이웃을 가진 살아있는 세포는 다음 세대까지 살아갑니다. 셋째, 3명을 초과하는 살아있는 이웃을 가진 세포는 또한 죽습니다. 넷째, 2~3명의 살아있는 이웃을 가진 죽은 세포는 다시 살아가게 됩니다.

28. Game theory 게임 이론

게임 이론은 적응하는 행위자들 사이의 상호작용에 대한 연구입니다. 게임 이론은 협력과 갈등의 관계에 관여하는 행위자들 사이의 전략적 상호작용을 연구합니다. 처음에는 주로 제로섬 게임을 다루었으나, 현재는 넓은 범위의 윈-윈 게임까지를 포함합니다. 게임 이론은 정치, 경제, 문화, 생태학 및 컴퓨터 과학과 같은 다양한 규칙에 기반하여 이익을 극대화하기 위해 나름의 논리를 가지고 행동하는 행위자들 간의 상호작용을 연구합니다.

29. Holism 전일 주의

전일 주의는 부분 보다는 시스템 전체를 강조하는 접근 방식을 말합니다. 부분들이 어떻게 더 큰 전체의 일부를 형성하게 되고, 시스템 속 부분들의 관계와 기능에 의해 더 큰 시스템이 어떻게 새롭게 정의되는지를 살펴봅니다. 전일 주의적 사고는 전체가 부분보다 우선권을 가지고 있다는 원칙과 전체의 특성은 부분의 특성만으로는 설명될 수 없다는 가정을 포함합니다.

30. Homeostasis 항상성

시스템이 제 기능과 구조를 최적으로 유지하기 위해 필요한 시스템을 둘러싼 환경을 조절하는 과정을 말합니다. 항상성이라는 단어는 유사하다라는 의미의 그리스어 'homos'와 가만히 서 있다라는 의미의 'stasis'에서 유래되었습니다. 시스템을 둘러싼 외부 환경의 지속적인 변화에도 불구하고 내부 조건을 안정적이고 일정하게 유지하도록 조절하는 상태를 말합니다.

31. Interdependence 상호의존성

상호의존성의 본질은 자율성, 차별화 및 창발 등을 포함합니다. 두 개 이상의 자율적 요소가 상호작용하고 상호간에 상태를 차별화시키며, 창발과정을 통해 어떤 부분보다 더 큰 새로운 결합 조직을 만들게 됩니다. 즉, 부분 집합 간의 상호의존성을 포함한다는 것은 시스템 이론의 핵심 개념입니다.

32. Irreversibility 비가역성

고전적 역학에서는 앞으로 진행된 과정은 역학적으로 다시 동일하게 뒤로 진행될 수 있다라는, 즉 시간을 되돌릴 수 있다라는 관점을 가지고 있었습니다. 그러나 많은 현실 세계 현상은 과정에서 낭비로 흘린 에너지는 다시 주어 담을 수 없는 것처럼 소산적입니다. 또한 지속적으로 높은 품질의 에너지를 공급하지 않으면 현상을 유지할 수 없기 때문에 본질적으로 개방된 시스템입니다. 특히 생물계는 열역학적 비평형 상태를 보이고, 비가역적이고 소산적이기 때문에 현재 상태를 결정하는 데 있어서 시스템의 히스토리와 같은 이력이 중요합니다.

33. Leverage points 레버리지 포인트

레버리지 포인트는 조직, 도시 및 생태계와 같은 복잡한 시스템 안에 존재하면서, 하나의 작은 변화가 모든 것에 큰 변화를 일으킬 수 있다고 봅니다. 시스템 역학에서 개입의 크기는 조직과 상호작용하는 크기의 수준으로 간주됩니다. 작은 크기에서는 작은 레버리지로 부분을 변화시킬 수 있으며, 조금 큰 레버리지로는 구성원의 행동까지 변화시킬 수 있으며, 더 큰 레버리지로는 시스템의 구조까지 변화시킬 수 있다는 것입니다. 조직에서 가장 큰 레버리지라는 것은 조직에서 벌어지는 여러 현상들을 해석하는 모델 자체를 변경하는 것인데, 이를 패러다임의 변화라 하고 이를 통해 전체 조직 자체와 시스템에 대한 이해가 달라지게 됩니다.

34. Micro Macro dynamic 마이크로-매크로 역학

마이크로-매크로 역학은 시스템에 대한 미시적 수준과 거시적 수준 간의 복잡한 상호작용을 설명합니다. 모든 시스템에서는 시스템을 구성하고 있는

요인들 사이에 상호의존성이 존재합니다. 작은 수준에서의 개별 요소가 다른 수준에서는 전체 요소의 일부가 되는 역학을 만들 수 있습니다. 예를 들어, 경제 시스템은 개별 행위자들과 작은 조직과 같이 미시적 수준과 전체 경제를 일컫는 거시적 수준으로 크게 구성되며, 이들은 상호 의존적이라는 것입니다.

35. Negative synergy 부정적 시너지
부정적 시너지는 요인들이 서로의 효과를 약화시키거나 파괴시키는 상호작용입니다. 즉 구성 요인들 간의 효과적 조정 및 차별화에 실패한 결과를 말합니다. 예로, 동일한 시장을 두고 경쟁하는 두 기업이 있는데 상호간의 간섭으로 인해, 원래 각 기업들이 가지고 있는 것 보다 미미한 결과를 만들게 되는 것을 말합니다.

36. Network effect 네트워크 효과
네트워크 효과는 사용자가 동일한 네트워크를 사용하는 다른 사용자로부터 가치를 얻는 것을 말합니다. 더 많은 사람들이 더 많은 가치에 동참할수록, 이 역동성은 긍정적인 피드백 고리에 의해 강화됩니다. 예로, 어떤 사람이 특정 기술을 배우기로 마음 먹었을 때, 그 자신을 위한 가치를 창출하는 것 뿐만 아니라 그 네트워크에 속해있는 다른 사람들에게도 공유됨으로써, 다른 사람들 역시 더 많은 가치를 누리게 되는 것입니다.

37. Network game theory 네트워크 게임 이론
네트워크 게임 이론은 네트워크 분석과 게임 이론이 결합된 행위자들 간의 상호의존 상황을 연구하는 것입니다. 네트워크 게임 이론은 행위자들의 선택 과정과 맥락을 네트워크로 통합하고 행위자들의 행동에 대해 더 풍부한 모델을 제공하는 것입니다. 행위자들이 내리는 대부분의 의사결정이 주변

사람들의 영향을 많이 받기 때문에 삶 속에서 어떻게 의사결정을 하는지에 있어서 소셜 네트워크는 중요한 의미를 가집니다.

38. Newtonian paradigm 뉴턴의 패러다임
뉴턴 패러다임은 시계의 태엽 장치와 같은 규칙적인 세상을 말하며, 선형적인 원인과 결과 방식으로 상호작용하는 고립된 비활성 물체에 대한 원자적인 시각으로 세상을 바라보는 것입니다. 물리 법칙에 의해 제어되는 완벽한 기계처럼 모든 것은 질서정연하고, 예측 가능하다고 믿습니다. 이 패러다임 안에서 시계는 부품들의 합에 지나지 않으며, 시계라는 것을 온전히 이해하기 위해서는 부품으로 잘게 쪼개어보는 환원주의 reductionism의 탐구 과정을 이용해야 한다고 생각합니다.

39. Nonlinear causality 비선형 인과관계
비선형 인과관계는 다양한 방향 및 패턴을 형성하는 인과관계를 말합니다. 비선형 인과관계를 이해하게 되면, 하나의 결과는 여러 원인의 산물이라는 것을 알 수 있습니다. 따라서 하나의 결과를 완전히 이해하기 위해서는 하나의 원인을 찾기 위해 애쓰기 보다는, 여러 다른 요인들과 어떻게 상호작용하여 결과를 만드는지를 살펴봐야 합니다.

40. Nonlinear system 비선형 시스템
비선형 시스템은 동질성 및 단순 가감성의 원리를 거스르는 시스템을 말합니다. 시스템은 구성 요인들의 단순 합과 일치하지 않고 시간이 경과함에 따라 입력과 출력 사이에 불균형 비례성이 나타날 수 있음을 의미합니다. 비선형 시스템이 만드는 구성 요인들 간 상호작용은 전체 시스템에서의 수치 값을 상승시키거나 감소시키며, 긍정적 피드백 고리는 입력과 출력의 불균형을 초래할 수 있는 현상들을 더욱 강하게 증폭시킵니다.

42. Path dependency 경로 의존성

경로 의존성은 과거에 벌어진 일이 지금에는 더 이상 관련이 없음에도, 현재의 결정이 과거에 내린 결정에 의해 어떻게 제한되는지를 설명하는 것을 말합니다. 이전의 선택이 우연한 기회에 만들어졌거나 정보가 제한적인 상황에서 만들어 졌음에도 불구하고, 완전히 새로운 길을 만드는 것보다 기존에 사용했던 경로를 최적화하는 것이 더욱 쉽습니다. 즉, 경로 의존성은 시간이 경과함에 따라 시스템이 얼마나 복잡해지고 있는지 보여주는 중요한 기능입니다.

43. Phase transition 상전이

상전이는 시스템 현재 상태에 갑작스러운 변화를 초래하는 작은 변화로 정의될 수 있습니다. 얼음인 고체에서 수증기인 기체로의 전환은 상전이의 대표적인 예입니다. 임계점에서의 온도 값의 작은 변화는 새로운 매개 변수 및 특성에 의해 물질의 체계적 변화를 초래하게 됩니다.

44. Process thinking 프로세스 사고

프로세스 사고는 이벤트를 생성하는 변화의 프로세스 측면에서 해석하는 방법입니다. 이것은 구성 요인들 간의 상호작용이 시간이 지남에 따라 큰 변화를 만드는 비선형 역학에 초점을 맞춥니다. 프로세스 사고는 움직임, 활동, 변화 및 시간적 진화 등의 역동적 현상을 고려하는 것입니다.

45. Punctuated equilibrium 단속적 평형상태

안정된 상태에서 오랜 기간 그대로 지속되다가 어떤 사건과 계기를 만나면서 큰 변화가 촉발되는 것을 말합니다. 일부 시스템은 음의 피드백 고리가 긴 시간 동안 평형을 유지하도록 합니다. 진화 차원에서 단속적 평형이론은 형태학적인 안정 stasis과 달리 신속한 분기진화 cladogenesis를 통해서 진화과정의 큰 변화가 발생한다고 봅니다. 즉 점진적이고 지속적인 진화론과는 구별이 됩니다.

46. Reductionism 환원주의

환원주의는 복잡한 현상을 존재하고있는 부분들에 더욱 집중하여 단순하게 분석하고 설명하는 관점을 말합니다. 환원주의의 목적은 높은 수준의 전체 시스템이 어떻게 낮고 기초적인 부분에서부터 만들어지는지를 설명하고자 합니다. 따라서 시스템의 높은 차원의 기능은 무시될 수 있으며, 이를 구성하는 낮은 차원에만 관심이 쏠릴 수 있습니다. 즉 환원주의는 높은 차원의 시스템 모두는 낮은 차원들의 조합으로만 이해될 수 있다는 것을 가정합니다.

47. Self organization 자기 조직화

자기 조직화는 중앙에서의 특별한 조정 없이도 시스템 안에서 보이는 패턴들이 어떻게 구성 요인들 간의 상호작용으로 인해 나타나는지를 설명합니다. 자기 조직 이론은 새로운 질서 출현에 대한 호기심을 풀기 위해 탐구 되었으며, 구성 요인들 간의 비선형 상호작용이 양의 피드백 고리에 의해 증폭되어 새로운 조직 패턴이 창발되는 과정을 설명해 줍니다.

49. Social entropy 사회적 엔트로피

시스템이 제 기능을 할 수 없도록 장애를 만드는 등 시스템 내 무질서의 정도인 엔트로피를 측정하고자 하는 사회 시스템 이론입니다. 사회적 엔트로피는 네트워크와 사회 시스템 등이 시간이 지남에 따라 질서에서 무질서로 옮겨가는 경향을 의미합니다. 즉 사회 시스템 내 제도가 붕괴되거나, 일관성 있는 상태로 유지되는데 적절한 자원의 양을 측정하는 것입니다.

50. Social interdependence theory 사회적 상호의존 이론
개인이 어떻게 상호작용할지를 스스로 결정한 가정하는 사회 시스템의 이론입니다. 사회적 상호의존 이론은 다음의 두 가지 서로 다른 형태를 가정하고 있습니다. 먼저 긍정적인 상호의존성은 개인이 목표 달성을 해나가는 과정에서 다른 개인들과 긍정적 상관관계가 있을 때를 말합니다. 개인은 그 개인과 협력적으로 연결된 다른 개인들이 그들의 목표를 달성한다면 우리들의 목표를 달성할 수 있다고 인식합니다. 반대로 부정적인 상호의존성은 개인의 목표 성취와 다른 개인들 사이에 부정적 상관관계가 있을 때를 말합니다. 즉 개인은 경쟁적으로 연결된 다른 개인들이 목표를 달성하지 못해야만 자신의 목표를 달성할 수 있다고 생각합니다.

51. Socio ecology system 사회생태학 체계
복잡적응시스템의 유형은 인간 경제와 같은 사회적 생태와 생물학적 생태로 크게 두 가지로 구성됩니다. 이러한 시스템은 비선형 네트워크 방식으로 상호작용하는 많은 구성 요인들로 구성되어 있다는 점에서 복잡하고 다차원적인 시스템입니다. 즉, 기본적인 지질학적 과정에서부터 기술적, 경제적, 그리고 사회적 과정과 상호작용하는 생물학적, 생태학적 과정에 이르기까지 질적으로 다양한 차원에 존재합니다.

53. Synergy 시너지
시너지는 요인들 간의 상호작용 또는 조정으로, 요인들이 각자 가지고 있는 효과의 합보다 더 큰 또다른 결합 형태를 만들어 내는 것입니다. 시너지는 상호 연결되어 있는 비선형 구조의 한 형태입니다.

54. Synthesis 통합

그리스어로 '합체하다'는 의미의 통합은 전체를 이해하기 위해 서로 다른 부분들을 결합하는 추론의 과정을 말합니다. 통합은 분석을 통해 사물을 분리하는 것과는 정반대로 전체론적 패러다임에서 사용되는 추론 방법입니다. 통합을 통해, 부분들이 어떻게 상호 연관되어 전체를 형성하는지 뿐만 아니라 전체 시스템이 어떻게 그 환경에서 기능하는지를 살펴볼 수 있습니다.

55. System dynamics 시스템 다이내믹스

시스템 다이내믹스는 시간이 지남에 따라 변화하는 복잡한 시스템의 역동적 모습을 모델링해보는 시스템 이론의 한 분야입니다. 주로 변화를 증폭시키거나 약화시키는 긍정 및 부정 피드백 고리를 다룹니다. 또한 전체 시스템 동작에 영향을 미치는 시간의 지연 피드백 프로세스도 살펴봅니다. 기본적인 다이어그램은 시스템의 한 부분에서의 변화가 다른 부분들과 연계되어, 시간이 지남에 따라 전체적인 패턴에 어떻게 영향을 미치는지를 '재고 stock와 흐름 flow'이라는 표현방식으로 시뮬레이션을 통해 모델링합니다.

56. Systems paradigm 시스템 패러다임

시스템 패러다임은 시스템 또는 환경을 이해하는데 가장 적절한 기초적 이론을 말합니다. 시스템 패러다임은 환원주의와는 달리 종합적 추론에 바탕을 두고 있습니다. 이것은 연결된 패러다임을 말하는데 즉, 요인들 간의 상호의존성과 네트워크가 어떻게 진화해 나가는지를 살펴보는 것입니다. 프로세스 지향적인 시스템 패러다임은 끊임없는 변화의 관점에서 세상을 이해하는 데 초점을 맞추고 있습니다.

57. Systems science 시스템 과학

시스템 과학은 시스템 이론을 과학의 다양한 영역에 적용하는 것입니다.

시스템 과학은 시스템의 모델을 사용하여 아주 작은 세포에서 거대한 사회에 이르기까지 모든 현상에 대한 포괄적인 이해를 시도하고 만듭니다.
20세기 시스템 이론이 등장한 이래로 시스템 심리학에서 시스템 공학, 지구시스템 과학, 시스템 생태학, 시스템 생물학 등에 이르기까지 과학의 많은 영역에서 응용을 하고 있습니다. 기존 환원주의의 원자론적 관점에 기반한 전통적인 접근법과는 완전히 다른 대안적인 과학적 프레임워크를 제시하는 것이 시스템 과학입니다.

<국내 문헌>

강성남. 2017. 복잡계 방법론의 철학적 논리. 한국사회와 행정연구, 27(4), 1-30.

강인제·이덕희. 2022. 코로노믹스: 복잡계 네트워크의 자기조직화 현상. 한국경제포럼, 15(2), 79-111.

김문조. 2003. 복잡계 패러다임의 특성과 전망. 과학기술학연구, 3(2), 1-27.

김익택·백기복. 2012. 복잡계 과학을 통한 이슈리더십 이론의 검증. 대한경영학회지, 25(9): 3731-3759.

손승연·박희태·윤석화. 2013. 상호작용 공정성과 과업성과. 인사조직연구, 21(2): 229-260.

송미영·유영만. 2009. 지식의 중층구조에 따른 기업교육 복잡계의 이해. Andragogy Today: Interdisciplinary Journal of Adult & Continuing Education (IJACE), 12(2), 89-121.

신현석·홍지오·윤혜원. 2019. 복잡계 이론과 교육행정학: 함의 고찰과 적용가능성 탐색. 교육행정학연구, 37(4), 201-238.

유세종·조용석·김우형. 2023. 양손잡이 전략균형이 벤처기업 경영성과에 미치는 영향. 무역학회지, 48(1), 83-126.

유영만. 2006. '단순한'학습의 '복잡성': 복잡성 과학에 비추어 본 학습 복잡계 구성과 원리. Andragogy Today: Interdisciplinary Journal of Adult & Continuing Education (IJACE), 9(2), 53-96.

유재언·이홍. 2006. 복잡계 관점에서 본 조직개발 방법론에 대한 연구. 한국인사조직학회 발표논문집, 2006(3), 543-565.

이규용·김동원. 2001. 팀제도입요인으로서 합리성과 정당성에 관한 연구. 경영학연구, 30(3): 1009-1035.

이근용·한태학. 2011. 복잡계 개념을 활용한 지역방송 콘텐츠 제작 및 유통 방안. 지역과 커뮤니케이션, 15(2), 289-322.

이명석. 2011. 네트워크 거버넌스와 정부의 역할: 복잡계이론을 중심으로. 국정관리연구, 6(1), 1-31.

이승준·장병탁. 2004. 복잡계 네트워크를 이용한 강화 학습 구현. 한국정보과학회 학술발표논문집, 31(2 I), 232-234.

이재훈·최익봉. 2004. 조직공정성, 신뢰, 조직유효성간의 관련성에 관한 연구. 인사·조직연구, 12(2): 93-132.

이제항. 2007. 복잡계 이론의 조직 관리에의 적용. 원자력산업, 27(3), 88-98.

지승호·조영복. 2017. 개인적 양면성의 선행요인과 결과요인에 관한 연구. 한국인사관리학회 학술대회 발표논문집, 1-25.

정영재·신제구. 2020. 복잡계 리더십이 구성원 민첩성에 미치는 영향: 개인적 양면성의 매개효과와 상호작용 공정성의 조절효과. 리더십연구, 11(2), 3-39.
정영재. 2021. 애자일(Agile), 왜 중요하며 무엇을 준비하고 경계해야 하는가. 고려대학교 HRD 정책연구소 HRD Issue Paper.Vol.21 2021-1.
정하웅. 2004. 복잡계 네트워크의 구조와 응용. 전자공학회지, 31(4), 50-56.
채승병. 2008. 복잡계 이론과 사회과학의 만남. 정보 및 제어 논문집, 35-36.
탁제운·정영재·신제구. 2019. 참여적 의사결정이 구성원의 민첩성(agility) 에 미치는 영향: 역할범주자기효능감의 매개효과 및 리더의 학습목표지향성과 구성원의 성장마인드
세트의 조절효과. 대한경영학회 학술발표대회 발표논문집, 40-40.
한규현. 2007. 복잡계 (Complex Systems) 란 무엇인가?. 원자력산업, 27(3), 56-61.
허영주. 2011. 복잡계이론의 교육학적 의미: 교육연구의 보완적 패러다임으로서의 적용 가능성. 한국교육학연구 (구 안암교육학연구), 17(1), 5-31.

<해외 문헌>

Alavi, S., Wahab, D. A., Muhamad, N., & Shirani, A. B. 2014. Organic structure and organizational learning as the main antecedents of workforce agility. International Journal Of Production Research, 52(21): 6273-6295.

Ambrose, M. L., & Schminke, M. 2003. Organization structure as a moderator of the relationship between procedural justice, interactional justice, perceived organizational support, and supervisory trust. Journal of Applied Psychology, 88(2): 295-305.

Bass, B. M. 1985. Leadership: Good, better, best. Organizational Dynamics, 13(3): 26-40.

Bertalanffy, L. 1976. Cultures as systems: Toward a critique of historical reason. The Bucknell Review, 22(1), 151.

Bonesso, S., Gerli, F., & Scapolan, A. 2014. The individual side of ambidexterity: do individuals′perceptions match actual behaviors in reconciling the exploration and exploitation trade-off? European Management Journal, 32(2): 392-405.

Boothby, E. J., Cooney, G., & Schweitzer, M. E. 2023. Embracing complexity: A review of negotiation research. Annual Review of Psychology, 74, 299-332.

Boumgarden, P., Nickerson, J., & Zenger, T. R. 2012. Sailing into the wind: Exploring the relationships among ambidexterity, vacillation, and organizational performance. Strategic Management Journal, 33(6): 587-610.

Brown, S. L., & Eisenhardt, K. M. 1997. The art of continuous change: Linking complexity theory and time-paced evolution in relentlessly shifting organizations. Administrative Science Quarterly, 1-34.

Charoensap, A., Virakul, B., Senasu, K., & Ayman, R. 2019. Effect of Ethical Leadership and Interactional Justice on Employee Work Attitudes. Journal of Leadership Studies, 12(4): 7-26.

Cilliers, P. 2001. Boundaries, hierarchies and networks in complex systems. International Journal of Innovation Management, 5(02): 135-147.

Clarke, N. 2013. Model of complexity leadership development. Human Resource Development International, 16(2): 135-150.

Cohen-Charash, Y., & Spector, P. E. 2001. The role of justice in organizations: A meta-analysis.

Colquitt, J. A. 2001. On the dimensionality of organizational justice: A construct

validation of a measure. Journal of Applied Psychology, 86(3): 386.
Colquitt, J. A., & Rodell, J. B. 2011. Justice, trust, and trustworthiness: A longitudinal analysis integrating three theoretical perspectives. Academy of Management Journal, 54(6): 1183-1206.
Coveney, P. V. 2003. Self-Organization and complexity: A new age for theory, computation and experiment. Philosophical Transactions of the Royal Society of London. Series A: Mathematical, Physical and Engineering Sciences, 361(1807): 1057-1079.
Delia, E. 2010. Complexity leadership in industrial innovation teams: A field study of leading, learning, and innovation in heterogeneous teams. Unpublished doctoral dissertation. Rutgers, Newark, NJ.
Diesel, R., & Scheepers, C. B. 2019. Innovation climate mediating complexity leadership and ambidexterity. Personnel Review.
Donkor, F., & Zhou, D. 2019. Complexity Leadership Theory: A Perspective for State-Owned Enterprises in Ghana. International Journal of Educational Leadership and Management, 7(2): 139-170.
Duncan, R. B. 1976. The ambidextrous organization: Designing dual structures for innovation. In R. H. Kilmann, L. R. Pondy, & D. Slevin (Eds.). The Management of Organization, 1(3): 167-188.
Dyer, L., & Shafer, R. 2003. Dynamic organizations. In R. S. Peterson, E. A. Mannix (Eds.).
Managing People in Dynamic Organizations, 7-40. Lawrence Erlbaum, Mahwah, NJ.
Eisenhardt, K. M., & Martin, J. A. 2000. Dynamic capabilities: what are they?. Strategic Management Journal, 21(10-11): 1105-1121.
Endsley, M. R. 1995. Toward a Theory of Situation Awareness in Dynamic Systems. Human Factors Journal, 37(1): 32-64.
Folger, R. G., & Cropanzano, R. 1998. Organizational Justice and Human Resource Management (Vol. 7). Sage.
Frese, M., & Zapf, D. 1994. Action as the core of work psychology: A German approach. In H. C. Triandis & M. D. Dunnette (Eds.). Handbook of Industrial and Organizational Psychology, 2(1): 271-340. Palo Alto, CA: Consulting Psychologists Press.
Geer-Frazier, B. 2014. Complexity leadership generates innovation, learning, and adaptation of the organization. Emergence: Complexity and Organization, 16(3): 105-

116.
Gibson, C. B., & Birkinshaw, J. 2004. The antecedents, consequences, and mediating role of organizational ambidexterity. Academy of Management Journal, 47(2): 209-226.
Gilbert, C. G. 2006. Change in the presence of residual fit: Can competing frames coexist?. Organization Science, 17(1): 150-167.
Good, D., & MicheHl, E. J. 2013. Individual ambidexterity: Exploring and exploiting in dynamic contexts. Journal of Psychology, 147(5): 435-453.
Greenberg, J., & Lind, E. A. 2000. The pursuit of organizational justice: From conceptualization to implication to application. I/O psychology: What we know about theory and practice, 72-105.
Griffin, B., & Hesketh, B. 2003. Adaptable behaviours for successful work and career adjustment. Australian Journal of Psychology, 55(2): 65-73.
Hahn, I., Bredillett, C., Kim, G. M., & Taloc, M. 2012. Agility of project manager in global IS project. Journal of Computer Information Systems, 53(2): 31-38.
Havermans, L. A., Den Hartog, D. N., Keegan, A., & Uhl Bien, M. 2015. Exploring the role of leadership in enabling contextual ambidexterity. Human Resource Management, 54(1): 179-200.
Heifetz, R. A., & Heifetz, R. 1994. Leadership without easy answers (Vol. 465). Harvard University Press.
House, R. J. 1971. A path goal theory of leader effectiveness. Administrative Science Quarterly, 21-339.
Jansen, J. J., Simsek, Z., & Cao, Q. 2012. Ambidexterity and performance in multiunit contexts: Cross level moderating effects of structural and resource attributes. Strategic Management Journal, 33(11): 1286-1303.
Jansen, J. J., Tempelaar, M. P., Van den Bosch, F. A., & Volberda, H. W. 2009. Structural differentiation and ambidexterity: The mediating role of integration mechanisms. Organization Science, 20(4): 797-811.
Judge, T. A., & Colquitt, J. A. 2004. Organizational justice and stress: the mediating role of work-family conflict. Journal of Applied Psychology, 89(3): 395.
Jung, Y. J. & J. G. Shin. 2020. The Effect of Complexity Leadership on Organizational Agility : Focusing on the Serial Multiple Mediation of Psychological Empowerment and Collaborative Learning, Korean Journal of Business Administration, 33(4), 711-751.

Kauffman, S. A. 1993. The origins of order: Self-organization and selection in evolution. OUP USA.
Krishnan, V. R. 2005. Transformational leadership and outcomes: Role of relationship duration. Leadership and Organization Journal, 26(5): 442-457.
Lewis, M. W., Andriopoulos, C., & Smith, W. K. 2014. Paradoxical leadership to enable strategic agility, California Management Review, 56(2): 58-77.
Lichtenstein, B. B., & Plowman, D. A. 2009. The leadership of emergence: A complex systems leadership theory of emergence at successive organizational levels.
Lichtenstein, B., Uhl-Bien, M., Marion, R., Seers, A., Orten, J . D., & Schreiber, C. 2006. Complexity leadership theory: An interactive perspective on leading in complex adaptive systems, Emergence: Complexity and Organization, 8(4): 2-12.
Luo, Y. 2002. Capability exploitation and building in a foreign market: Implications for multinational enterprises. Organization Science, 13(1): 48-63.
March, J. G. 1991. Exploration and exploitation in organizational learning. Organizational Science, 2(1): 71-87.
Marion, R. 2008. Complexity theory for organizations and organizational leadership. Complexity Leadership, part, 1: 1-16.
Marion, R., & Uhl-bien, M. 2001. Leadership in Complex Organizations. The Leadership Quarterly, 12(4): 389-418.
McClure, S. M, Gilzenrat, M. S, & Cohen, J. D. 2007. An exploration-exploitation model based on norepinephrine and dopamine activity. In Weiss, Y., Sholkopf, B., Platt, J. (Eds.). Advances in Neural Information Processing Systems, 18(2): 867-874.
McKelvey, B. 2004. "Simple Rules" For Improving Corporate Iq: Basic Lessons From Complexity Science. In Complexity Theory and the Management of Networks: 39-52.
Mendes, M., Gomes, C., Marques-Quinteiro, P., Lind, P., & Curral, L. 2016. Promoting learning and innovation in organizations through complexity leadership theory. Team Performance Management, 22(5-6): 301-309.
March, J. G. 1991. Exploration and exploitation in organizational learning. Organization Science, 2(1): 71-87.
Mom, T. J. M., Van den Bosch, F. A. J., & Volberda, H. W. 2009. Understanding variation in managers' ambidexterity: Investigating direct and interaction effects of formal structural and personal coordination mechanisms. Organization Science, 20(4): 812-828.

Muduli, A. 2013. Workforce Agility: A Review of Literature. IUP Journal of Management Research, 12(3).
Muduli, A. 2016. Exploring the facilitators and mediators of workforce agility: an empirical study. Management Research Review, 39(12): 1567-1586.
Murphy, J., Rhodes, M. L., Meek, J. W., & Denyer, D. 2017. Managing the entanglement: complexity leadership in public sector systems. Public Administration Review, 77(5): 692-704.
O′Reilly III, C. A., & Tushman, M. L. 2013. Organizational ambidexterity: Past, present, and future. Academy of Management Perspectives, 27(4): 324-338.
O′Reilly III, C. A., & Tushman, M. L. 2004. The ambidextrous organization. Harvard Business Review, 82(4): 74.
Patel, P. C., Terjesen, S., & Li, D. 2012. Enhancing effects of manufacturing flexibility through operational absorptive capacity and operational ambidexterity. Journal of Operations Management, 30(3): 201-220.
Pitafi, A. H., Liu, H., & Cai, Z. 2018. Investigating the relationship between workplace conflict and employee agility: The role of enterprise social media. Telematics and Informatics, 35(2): 2157-2172.
Plonka, F. S. 1997. Developing a lean and agile workforce. Human Factors and Ergonomics in Manufacturing, 7(1): 11-20.
Prieto, I, M., Revilla, E., & Prado, B, R. 2009. Managing the knowledge paradox in product development, Journal of Knowledge Management, 13(3): 157-170.
Purvee, A., & Enkhtuvshin, D. 2015. Leadership behaviors, trustworthiness, and managers′ ambidexterity. International Journal of Innovation, Management and Technology, 6(2): 109.
Raisch, S., & Birkinshaw, J. 2008. Organizational ambidexterity: Antecedents, outcomes, and moderators. Journal of Management, 34(3): 375-409.
Reeves, M., Levin, S., Fink, T., & Levina, A. 2020. Taming Complexity. Harvard Business Review, 98(1): 112-121.
Reynolds, C. W. 1987. Flocks, herds and schools: A distributed behavioral model. In Proceedings of the 14th annual conference on Computer graphics and interactive techniques 25-34.
Rivkin, J. W., & Siggelkow, N. 2003. Balancing search and stability: Interdependencies

among elements of organizational design. Management Science, 49(3): 290-311.
Salvato, C., & Vassolo, R. 2018. The sources of dynamism in dynamic capabilities. Strategic Management Journal, 39(6): 1728-1752.
Schneider, M., & Somers, M. 2006. Organizations as complex adaptive systems: Implications of Complexity Theory for leadership research. The Leadership Quarterly, 17(4): 351-365.
Seo, Y. W., Chae, S. W., & Lee, K. C. 2015. The impact of absorptive capacity, exploration, and exploitation on individual creativity: Moderating effect of subjective well-being. Computers in Human Behavior, 42(1): 68-82.
Sherehiy, B., & Karwowski, W. 2014. The relationship between work organization and workforce agility in small manufacturing enterprises. International Journal of Industrial Ergonomics, 44(3): 466-473.
Slater, S. F., & Narver, J. C. 1995. Market orientation and the learning organization. Journal of marketing, 59(3), 63-74.
Stacey, R. 2018. Complexity at the "edge" of the basic-assumption group. In The Systems Psychodynamics of Organizations, 15: 91-114.
Sumukadas, N., & Sawhney, R. 2004. Workforce agility through employee involvement. Iie Transactions, 36(10): 1011-1021.
Teece, D., & Pisano, G. 1994. The dynamic capabilities of firms: an introduction. Industrial and corporate change, 3(3): 537-556.
Teece D. J., Pisano, G., & Schuen, A. 1997. Dynamic capabilities and strategic management. Str. Journal of Management, 18(1): 509-533.
Tourish, D. 2019. Is complexity leadership theory complex enough? A critical appraisal, some modifications and suggestions for further research. Organization Studies, 40(2), 219-238.
Uhl-Bien, M., & Arena, M. 2017. Complexity leadership: Enabling people and organizations for adaptability. Organizational Dynamics.
Uhl-Bien, M., & Marion, R. 2009. Complexity leadership in bureaucratic forms of organizing: A meso model. The Leadership Quarterly, 20(4): 631-650.
Uhl-Bien, M., Marion, R., & McKelvey, B. 2007. Complexity Leadership Theory: Shifting leadership from the industrial age to the knowledge era. The Leadership Quarterly, 18(4): 298-318.

Zaccaro, S. J., & Klimoski, R. 2002. The interface of leadership and team processes.
Zhan, W, & Luo, Y. 2008. Performance Implications of Capability Exploitation & Upgrading in International Joint Ventures. Management International Review, 48(2): 227-253.

<참고 도서>

권민 <양손잡이 리더십> 고즈윈
국형태 역 스튜어트 마우프만 <혼돈의 가장자리> 에코비즈
김용관 <복잡성과학의 이해와 적용> 삼성경제연구소
김용운 <카오스와 불교> 사이언스북스
김용운 <카오스의 날갯짓> 김영사
김용운·김용국 <프렉탈과 카오스의 세계> 우성
김희봉 역 존 홀런드 <숨겨진 질서> 사이언스 북스
민병원 <복잡계로 풀어내는 국제정치> 삼성경제연구소
박설영 역 스피든 데닝 <애자일, 민첩하고 유연한 조직의 비밀> 어크로스
박찬정 <프랙탈 경영전략> 책든사자
윤영수·채승병 <복잡계 개론> 삼성경제연구소
윤태준 역 애덤 그랜트 <기브 앤 테이크> 생각연구소
이경식 역 애덤 드랜트 <싱크 어게인> 한국경제신문사
이민철 역 랄프 D. 스테이시 <복잡계의 새로운 접근> 씨아이알
장승권 <복잡성 과학의 이해와 적용> 삼성경제연구소
장은성 <복잡성의 과학> 전파과학사
장세영 역 닐 퍼킨, 피터 아브라함 <디지털 전환 시대의 애자일 경영> 에이콘
장재웅·상효이제 <네이키드 애자일> 미래의 창
최창현 <복잡계로 바라본 조직관리> 삼성경제연구소
최창현 <신과학 복잡계 이야기> 종이거울
최창현 역 랄프 D. 스테이시 <카오스 경영> 한언
최창현·박찬홍 <복잡계와 동양사상> 지샘
최희갑 <불확실성을 경영하라> 삼성경제연구소
피터 센게 <제5경영> 세종서적
홍영남·이상임 역 리처드 도킨스 <이기적 유전자> 을유문화사
황종덕·정진우·조철희 <양손잡이 기업의 비밀> 프리이코노믹스

복잡계 경영 Complexity Management

발　행 | 2024년 2월 9일
저　자 | 정영재 accept09@naver.com
펴낸이 | 한건희
펴낸곳 | 주식회사 부크크
출판사등록 | 2014.07.15.(제2014-16호)
주　소 | 서울특별시 금천구 가산디지털1로 119 SK트윈타워 A동 305호
전　화 | 1670-8316
이메일 | info@bookk.co.kr

ISBN | 979-11-410-7114-1

www.bookk.co.kr